名探偵コナン

京極真セレクション　蹴撃の事件録《バトル》

酒井 匙／著　青山剛昌／原作・イラスト

★小学館ジュニア文庫★

園《その》子《こ》のアブない夏《なつ》物《もの》語《がたり》

DETECTIVE CONAN

MAKOTO KYŌGOKU SELECTION

パシャ！

背後《はいご》からシャッター音《おん》が聞《き》こえてきて、毛利蘭《もうりらん》はあわててふり返《かえ》った。そこには、親友《しんゆう》の鈴木園子《すずきそのこ》が、カメラを構《かま》えて立《た》っている。

「ちょっと園子《そのこ》！ どこ撮《と》ってんのよ⁉」

「水着《みずぎ》を直《なお》す蘭《らん》のオシリのアップよ、アップ！ まさに衝撃的瞬間《しょうげきてきしゅんかん》ね――♡」

園子《そのこ》は、悪《わる》びれるどころか、ニコニコと満面《まんめん》の笑《え》みを浮《う》かべていた。

とある夏《なつ》の連休《れんきゅう》。

蘭《らん》と江戸川《えどがわ》コナンは、園子《そのこ》に誘《さそ》われて、伊豆《いず》の海《うみ》へと来《き》ていた。

浅瀬《あさせ》で遊《あそ》んでいるうちに、蘭《らん》の着《き》ていたビキニタイプの水着《みずぎ》が、お尻《しり》に深《ふか》く食《く》いこんでしまった。そこで、指《ゆび》で引《ひ》っ張《ぱ》って直《なお》したのだが、その瞬間《しゅんかん》をばっちり園子《そのこ》に撮影《さつえい》されていたらしい。

「そんなの撮《と》ってどーすんのよ？」

恥《は》ずかしそうに言《い》う蘭《らん》に、園子《そのこ》は「決《き》まってるじゃない！」とすまして答《こた》えた。

「新一君《しんいちくん》が帰《かえ》って来《き》たら見《み》せてあげるのよ！」

「はぁ？」

「きっと彼《かれ》、喜《よろこ》ぶわよー！」

ニヤつく園子《そのこ》を、蘭《らん》は「バカねー」と一蹴《いっしゅう》した。

「新一《しんいち》がそんなの見《み》てヘラヘラ喜《よろこ》ぶわけないじゃない！」

そう言《い》うと、蘭《らん》は頬《ほお》を赤《あか》らめ、背後《はいご》で二人《ふたり》の会話《かいわ》を聞《き》いているコナンの方《ほう》をふり返《かえ》った。

「ねぇ…コナン君《くん》もそう思《おも》うよね？」

「え？　あ…」

蘭《らん》の水着姿《みずぎすがた》に見《み》とれていたコナンは、「うん…」とぼんやりうなずいた。

「ハ！　子供《こども》に何《なに》がわかんのよ？」

園子《そのこ》に鼻《はな》で笑《わら》われ、コナンは悔《くや》しさのあまり、手《て》のひらをぎりっと握《にぎ》りしめた。

（あー早《はや》く元《もと》の体《からだ》に、戻《もど》りてー…）

「だいたい変《へん》よ、園子《そのこ》。さっきから意地悪《いじわる》ばっかり…」

蘭《らん》が、気《き》を取《と》り直《なお》して言《い》うと、園子《そのこ》は自嘲気味《じちょうぎみ》の笑顔《えがお》で「気《き》にしないで……」とつぶやいた。

「ただのやっかみなんだから…」

「えー、なんでー？　わたし何《なに》かした？」

「わかってる？　蘭《らん》…わたし達《たち》が二泊三日《にはくみっか》でこの伊豆《いず》のビーチに来《き》た目的《もくてき》を…」

「え？」

蘭《らん》が、首《くび》をかしげて答《こた》える。

「いつもの男探《おとこさが》しなんでしょ？　園子《そのこ》は…」

「そうよ！　しかも今回《こんかい》は練《ね》りに練《ね》った非《ひ》お嬢様大作戦《じょうさまだいさくせん》!!」

蘭《らん》が「…何《なに》よそれ？」と首《くび》をかしげる。

園子《そのこ》は、びしっと人差《ひとさ》し指《ゆび》を立《た》て、蘭《らん》に突《つ》きつけた。

「わたし達《たち》が旅先《たびさき》で泊《と》まるのは、いつもウチの別荘《べっそう》か高級《こうきゅう》ホテル！　『ああ…あんな高嶺《たかね》の花《はな》にはとても手《て》が出《だ》せない…』なんて男《おとこ》の子《こ》を安心《あんしん》させるために、わざわざ古《ふる》びた旅館《りょかん》に泊《と》まったのよ？」

「そ、そうだったの…？」

確《たし》かに、今回《こんかい》の旅行《りょこう》の宿泊場所《しゅくはくばしょ》は、鈴木財閥《すずきざいばつ》のお嬢様《じょうさま》である園子《そのこ》が選《えら》んだにしてはずいぶん質素《しっそ》だった。蘭《らん》は気《き》づかなかったが、そのチョイスは、庶民的《しょみんてき》な男性《だんせい》との出会《であ》いを求《もと》めてのことだったのだ。

コナンは（意味《いみ》ねーよ…）と心《こころ》の中《なか》で突《つ》っ込《こ》みを入《い》れた。

「なのに…なのにさ…」

園子《そのこ》は急《きゅう》に、目《め》に涙《なみだ》を浮《う》かべてうつむいた。

「来《く》る時《とき》の電車《でんしゃ》の中《なか》でも…昨夜《ゆうべ》、旅館《りょかん》の近《ちか》くであった花火大会《はなびたいかい》の会場《かいじょう》でも…そしてこのビーチでも…いい寄《よ》る男共《おとこども》の目当《めあ》てはみーーんな…蘭《らん》、あなたじゃない!!」

ビシッと人差《ひとさ》し指《ゆび》を向《む》けられて、蘭《らん》は、「そ、そんな事《こと》ないと思《おも》うけど…」と言葉《ことば》をにごした。

園子《そのこ》がいじけた表情《ひょうじょう》で、そっぽを向《む》く。

「いーわよ、いーわよ。昨夜《ゆうべ》こっそり撮《と》った、蘭《らん》の下着姿《したぎすがた》も新一君《しんいちくん》に見《み》せちゃうから…」

「えーーっ!?」

蘭《らん》とコナンの叫《さけ》び声《ごえ》が重《かさ》なる。

勝手《かって》に下着姿《したぎすがた》を撮《と》られたと聞《き》いて、蘭《らん》は「ちょっと園子《そのこ》ォ!!」と園子《そのこ》に抗議《こうぎ》した。一方《いっぽう》、コナンは、下着姿《したぎすがた》と聞《き》いてちょっと動揺《どうよう》していたのだが、

「ウソウソ、撮《と》ってないって！」

と、園子《そのこ》がニヤケ顔《がお》で白状《はくじょう》したので、一気《いっき》に脱力《だつりょく》した。

（…なんだウソか…）

その時《とき》。

騒《さわ》いでいる蘭《らん》と園子《そのこ》に、声《こえ》をかけてきた男《おとこ》がいた。

「ねえ、君達《きみたち》…もしかして暇《ひま》？」

園子《そのこ》が「え？」とふり返《かえ》る。

そこには、髪《かみ》を茶色《ちゃいろ》に染《そ》めた優《やさ》しげな男性《だんせい》が立《た》っていた。なかなかのイケメンだ。

「お昼《ひる》でも一緒《いっしょ》に食《た》べないかい？　もちろんおごるからさ！」

「は、はい！　喜《よろこ》ん……で…」

勢《いきお》いよくうなずきかけた園子《そのこ》だが、今《いま》まで声《こえ》をかけてきた男《おとこ》がみんな蘭目当《らんめあ》てだったことを途中《とちゅう》で思《おも》い出《だ》して、テンションを下《さ》げた。

「どーせあなたもこの娘《こ》が目当《めあ》てなんでしょ？」

と、ジトっとした目《め》つきになって、蘭《らん》の背後《はいご》にまわる。コナンも、蘭《らん》を狙《ねら》って声《こえ》をかけてきたであろう男《おとこ》を、にらみつけた。

「え？」

ぽかんとした男《おとこ》に向《む》かって、園子《そのこ》はドンと蘭《らん》の背中《せなか》を押《お》した。

「ホラ、持《も》って行《い》きなさいよ！　今《いま》が見頃《みごろ》よ！　ただし、変《へん》なマネしちゃダメよ！　その娘《こ》は売約済《ばいやくず》みなんだから…」

「いや…僕《ぼく》が誘《さそ》いたかったのは、君《きみ》の方《ほう》なんだけど…」

そう言《い》って、男《おとこ》は園子《そのこ》の顔《かお》をぐっとのぞきこんだ。

「え？」

不意《ふい》をつかれ、園子《そのこ》の顔《かお》が一気《いっき》に赤《あか》くなる。

「やったじゃない園子《そのこ》！」

蘭《らん》がウィンクして、園子《そのこ》の肩《かた》を軽《かる》くたたいた。

園子《そのこ》は「………」と言葉《ことば》を失《うしな》い、ぽーっとなって瞳《ひとみ》をうるませている。

（ウソ……）

コナンは、男《おとこ》の目当《めあ》てが蘭《らん》ではなく園子《そのこ》だと知《し》って、驚《きょう》がくしていた。

（バ、バカな…園子《そのこ》に限《かぎ》って…そんなはずはない…。きっとこれには何《なに》か…裏《うら》に何《なに》か隠《かく》されているはず…）

男《おとこ》が園子《そのこ》を選《えら》んだのはなぜか、真剣《しんけん》に考《かんが》えてみるが、途中《とちゅう》でバカバカしくなってやめた。

（…なんて事考《ことかんが》えてもしゃーねーか…）

「じゃーわたし、コナン君《くん》としばらくここにいるから…」

蘭《らん》は気《き》をつかって、園子《そのこ》を男《おとこ》と二人《ふたり》きりにしようとした。

「行《い》こうか？」

男《おとこ》が園子《そのこ》の肩《かた》を抱《だ》く。

しかし園子《そのこ》は、不安《ふあん》そうな表情《ひょうじょう》で、「あ…」と蘭《らん》の方《ほう》をふり返《かえ》った。

「え？」

助《たす》けを求《もと》めるような園子《そのこ》の視線《しせん》を受《う》け、蘭《らん》はとまどって首《くび》をかしげた。


園子《そのこ》はどうやら、初対面《しょたいめん》の男性《だんせい》といきなり二人《ふたり》きりになることに、怖気《おじけ》づいてしまったらしい。結局《けっきょく》、蘭《らん》とコナンと一緒《いっしょ》に、近《ちか》くにあった海《うみ》の家《いえ》で昼食《ちゅうしょく》を取《と》ることになった。

園子《そのこ》に声《こえ》をかけてきた男《おとこ》は、道脇正彦《みちわきただひこ》という名前《なまえ》だった。

「へ――道脇《みちわき》さんって米花大学《べいかだいがく》の学生《がくせい》なんだ！　じゃー蘭《らん》のお父《とう》さんの後輩《こうはい》ね!!」

楽《たの》しそうな園子《そのこ》に話《はなし》をふられ、蘭《らん》は「う、うん…」とぎこちなくうなずいた。

（なんで――結局《けっきょく》ビビッてんじゃねーーか…）

コナンはすっかりあきれていたが、園子《そのこ》は、道脇《みちわき》との会話《かいわ》を楽《たの》しんでいるようだ。

「それで？　この伊豆《いず》にはどうして…？」

園子《そのこ》に聞《き》かれ、道脇《みちわき》は煙草《タバコ》を吸《す》いながら、「ただの失恋旅行《しつれんりょこう》さ…」と苦笑《にがわら》いした。

「彼女《かのじょ》にひどいフラれ方《かた》をしてね…意気消沈《いきしょうちん》して海《うみ》をぼんやりながめていたら…天使《てんし》を一人見《ひとりみ》つけたってわけさ！」

そう言《い》うと、道脇《みちわき》はウィンクをして園子《そのこ》を指《ゆび》さした。

「僕《ぼく》の勘《かん》が正《ただ》しければ、恐《おそ》らく君《きみ》は僕《ぼく》の救《すく》いの女神《めがみ》になるはず…」

甘《あま》い言葉《ことば》をかけられ、園子《そのこ》の顔《かお》がポワワァンと一気《いっき》に赤《あか》くなる。

その時《とき》、道脇《みちわき》が注文《ちゅうもん》したビールがテーブルへと運《はこ》ばれてきた。

ドン!!

店員《てんいん》の男《おとこ》は、ジョッキを乱暴《らんぼう》にテーブルに置《お》くと、

「生《なま》ビールお待《ま》たせしました…」

と、不愛想《ぶあいそう》につぶやいた。

海《うみ》の家《いえ》の店員《てんいん》らしく、よく日《ひ》に焼《や》けている。分厚《ぶあつ》い眼鏡《めがね》をかけていて、顔《かお》はよくわから

ないが、きりりとした眉《まゆ》が印象的《いんしょうてき》だ。左眉《ひだりまゆ》の上《うえ》には、絆創膏《ばんそうこう》がナナメに貼《は》られている。体《たい》格《かく》が良《よ》く、背《せ》が高《たか》いせいか、妙《みょう》に威圧感《いあつかん》があった。

「あ、どうも…」

道脇《みちわき》が、気《け》おされ気味《ぎみ》にお礼《れい》を言《い》う。

店員《てんいん》は、そっけなく去《さ》っていこうとしたが、途中《とちゅう》で足《あし》を止《と》めてふり返《かえ》った。

「あ、お客《きゃく》さん、タバコの灰《はい》は床《ゆか》に落《お》とさないでください…後《あと》で掃除《そうじ》が大変《たいへん》ですから…」

「ああ…」

店員《てんいん》が去《さ》っていくのを待《ま》ってから、道脇《みちわき》が「態度《たいど》が悪《わる》い店員《てんいん》だなぁ…」とボヤく。

蘭《らん》は、店員《てんいん》の背中《せなか》を見《み》つめながら、園子《そのこ》に「…ねぇ！」と声《こえ》をかけた。

「今《いま》の店員《てんいん》さん、どこかで会《あ》った事《こと》なーい？」

「会《あ》ってるもなにも、わたし達《たち》が泊《と》まってる旅館《りょかん》の主人《しゅじん》の息子《むすこ》さんよ！　夏休《なつやす》みだから手《て》伝《つだ》いに帰《かえ》ってるんだって…」

「…どーしてそんな事知《ことし》ってんの？」

「玄関先《げんかんさき》でわたし達《たち》の事《こと》ジロジロ見《み》てたから、旅館《りょかん》の人《ひと》に聞《き》いたのよ！」

なるほど、といったんは納得《なっとく》した蘭《らん》だが、旅館《りょかん》の息子《むすこ》が海《うみ》の家《いえ》で働《はたら》いているのは、少《すこ》し不自然《ふしぜん》だ。

「でもなんでその人《ひと》がこの店手伝《みせてつだ》ってるんだろ？」

ひとりごとのようにつぶやいて、蘭《らん》は首《くび》をひねった。

「きっと経営者《けいえいしゃ》が同《おな》じなのよ、わたし達《たち》の瓦屋旅館《かわらやりょかん》と…」

園子《そのこ》の言葉《ことば》に反応《はんのう》して、道脇《みちわき》が顔《かお》を上《あ》げた。

「へー君達《きみたち》、瓦屋旅館《かわらやりょかん》に泊《と》まってるの？」

「ええ、そうですけど…」

「僕《ぼく》のホテルの近《ちか》くじゃないか。じゃどう？　今夜《こんや》みんなで海辺《うみべ》の洒落《しゃれ》たレストランで食事《しょくじ》でも…車《くるま》で迎《むか》えに行《い》くからさ！」

さわやかに誘《さそ》われて、園子《そのこ》は「えー――いいんですか？」と浮《う》き足立《あしだ》った。

「そのかわりカメラを忘《わす》れない事《こと》！」

「え？　どーして？」

園子《そのこ》に聞《き》かれ、道脇《みちわき》は声《こえ》をひそめた。

「さっき地元《じもと》の人《ひと》に聞《き》いたんだけど、そのレストランのそばの浜辺《はまべ》で事件《じけん》があったらしいんだ…」

「事件《じけん》？」

園子《そのこ》と蘭《らん》が、声《こえ》をそろえて聞《き》き返《かえ》す。

「そう…今《いま》から丁度《ちょうど》一年前《いちねんまえ》…茶髪《ちゃぱつ》でロングヘアーの女性《じょせい》が、腹《はら》を刃物《はもの》でメッタ刺《ざ》しにされた殺人事件《さつじんじけん》がね…」

「さ、殺人《さつじん》!?」

物騒《ぶっそう》な言葉《ことば》を聞《き》いて、園子《そのこ》と蘭《らん》の顔《かお》が一気《いっき》にくもった。

「ああ…その女性《じょせい》はそのレストランに行《い》く途中《とちゅう》で殺《や》られたらしいんだけど、目撃者《もくげきしゃ》はなく未《いま》だ捜査中《そうさちゅう》、事件《じけん》から一年《いちねん》がたち客《きゃく》は事件《じけん》の事《こと》を忘《わす》れ、レストランが繁盛《はんじょう》しているのはいいんだが…困《こま》った事《こと》にその女性《じょせい》はレストランが気《き》に入《い》ってしまったらしく、今《いま》も通《かよ》ってるそうなんだ…」

「い、今《いま》もって…」

園子《そのこ》が、声《こえ》を震《ふる》わせる。

道脇《みちわき》は、伏《ふ》せていた目《め》を上《あ》げて、低《ひく》い声《こえ》で続《つづ》けた。

「そのレストランで撮《と》る写真《しゃしん》に、腹《はら》が裂《さ》け臓物《ぞうもつ》が飛《と》び出《で》た、グロテスクな幽体《ゆうたい》となってね…」

「あ…」

「ああ…」

園子《そのこ》と蘭《らん》は、言葉《ことば》を失《うしな》って縮《ちぢ》みあがった。道脇《みちわき》の話《はな》し方《かた》が上手《うま》いのもあって、完全《かんぜん》に怪《かい》談話《だんばなし》に引《ひ》きこまれているようだ。

話半分《はなしはんぶん》に聞《き》いていたコナンは（くっだらねー…）とシラけきっていた。

「だから本当《ほんとう》にそんな写真《しゃしん》が撮《と》れるかどうか、試《ため》してみようってわけさ…」

「ね、ねえ、どーする？　カメラ一応十枚《いちおうじゅうまい》くらい残《のこ》ってるけど…」

園子《そのこ》がおずおずと蘭《らん》の方《ほう》を見《み》る。

「ダメ！　絶対持《ぜったいも》ってっちゃ‼」

蘭《らん》は、手《て》のひらをクロスさせて「×」マークを作《つく》り、断固拒否《だんこきょひ》した。

「でも新一君《しんいちくん》に見《み》せると、何《なに》かわかるかもしれないわよ？」

そう言《い》うと、園子《そのこ》はそれまでのおびえた表情《ひょうじょう》を一変《いっぺん》させ、ニヤついて続《つづ》けた。

「このカメラに入《はい》ってる例《れい》の衝撃的《しょうげきてき》な写真《しゃしん》も彼《かれ》に見《み》せるわけだし…」

「だーかーらー、あんな誰《だれ》だかわかんない写真見《しゃしんみ》せてどーすんのよ？」

蘭《らん》が照《て》れ気味《ぎみ》に言《い》い返《かえ》す。

園子《そのこ》の言《い》う衝撃的《しょうげきてき》な写真《しゃしん》とは、さっき撮《と》った蘭《らん》のお尻《しり》のアップのことだ。顔《かお》が写《うつ》っていないので、見《み》ただけでは誰《だれ》のお尻《しり》なのかわからない。

「彼《かれ》の推理力《すいりりょく》なら、あれが誰《だれ》なのかすぐに見抜《みぬ》けると思《おも》うけど？」

園子《そのこ》がまぜっかえし、蘭《らん》は「あのねぇ…」とあきれはてた。

（――っていうか知《し》ってるし…）

コナンが、心《こころ》の中《なか》でこっそりとつぶやく。

ビールを飲《の》んでいた道脇《みちわき》は「推理力《すいりりょく》？」と不思議《ふしぎ》そうに園子《そのこ》に聞《き》いた。

「この娘《こ》の彼《かれ》、探偵《たんてい》なんです！」

園子《そのこ》が、蘭《らん》を指《ゆび》さして言《い》う。

「へ――…で？　その写真《しゃしん》ってどんな？」

「それがね…」

園子《そのこ》は、内緒話《ないしょばなし》をするときのように手《て》を口元《くちもと》に近《ちか》づけ、道脇《みちわき》に顔《かお》を近《ちか》づけた。お尻《しり》のアップの話《はなし》をされるのは恥《は》ずかしいので、蘭《らん》が「園子《そのこ》!!!」とあわてて二人《ふたり》の会話《かいわ》を止《と》めようとする。

その時《とき》だ。

「ヘイ、お待《ま》ち！　ヤキソバでーす！」

さっきの店員《てんいん》が、園子《そのこ》と道脇《みちわき》の間《あいだ》に割《わ》って入《はい》り、ヤキソバの皿《さら》がのったトレイを、ドンと勢《いきお》いよくテーブルの上《うえ》に置《お》いた。

「客《きゃく》がつかえていますんで、さっさと食《た》べてくださいよ…」

ぶっきらぼうに言《い》い捨《す》て、店員《てんいん》はさっさと去《さ》っていく。

「――ったくなんなんだ　あの店員《てんいん》…」

道脇《みちわき》は、園子《そのこ》との会話《かいわ》を何度《なんど》も邪魔《じゃま》されて、すっかり気分《きぶん》を害《がい》してしまったようだ。

店員《てんいん》と道脇《みちわき》のやり取《と》りを、離《はな》れた席《せき》に一人《ひとり》で座《すわ》った中年《ちゅうねん》の男《おとこ》が、じっと見《み》つめている。

男《おとこ》は小太《こぶと》りで、キャップを目深《まぶか》にかぶっていた。

「それより、そのレストランやめにしません？　気味悪《きみわる》いし…」

蘭《らん》が、浮《う》かない顔《かお》で道脇《みちわき》に提案《ていあん》した。本気《ほんき》で行《い》きたくないらしい。

道脇《みちわき》は、「大丈夫《だいじょうぶ》！」と蘭《らん》に笑《わら》いかけた。

「心霊写真《しんれいしゃしん》はただの噂《うわさ》だし、もう一年《いちねん》もたってるんだよ？　殺《ころ》された彼女《かのじょ》だってもうあのレストランに飽《あ》きてる頃《ころ》さ…」

その時《とき》、急《きゅう》に海《うみ》の家《いえ》の中《なか》が騒《さわ》がしくなった。男《おとこ》が駆《か》けこんできて、連《つ》れらしい店内《てんない》の客《きゃく》に声《こえ》をかける。

「おい、聞《き》いたかよ？　線路沿《せんろぞ》いの林《はやし》でまた見《み》つかったんだってよ！」

「また？」

「死体《したい》だよ、死体《したい》!!　茶髪《ちゃぱつ》の女《おんな》のズタズタ死体《したい》だよ!!」

線路沿《せんろぞ》いの林《はやし》といえば、蘭《らん》たちの旅館《りょかん》のすぐ近《ちか》くだ。死体《したい》が見《み》つかったと聞《き》いて、コナンたちは息《いき》をのんだ。


林《はやし》の中《なか》で見《み》つかった死体《したい》は、海《うみ》の家《いえ》の客《きゃく》が言《い》っていたとおり、髪《かみ》を茶色《ちゃいろ》に染《そ》めた女性《じょせい》のものだった。露出《ろしゅつ》の多《おお》い服装《ふくそう》で、メイクもかなり濃《こ》く、全体的《ぜんたいてき》に派手《はで》な印象《いんしょう》を受《う》ける。

通報《つうほう》を受《う》けて現場《げんば》にやって来《き》たのは、静岡県警《しずおかけんけい》の横溝参悟警部《よこみぞさんごけいぶ》だった。

「腹部《ふくぶ》を刃物《はもの》でメッタ刺《ざ》しか…」

横溝警部《よこみぞけいぶ》は、見《み》つかった死体《したい》を冷静《れいせい》に観察《かんさつ》してつぶやいた。

「一年前《いちねんまえ》と同《おな》じですね…」

「ああ…この女性《じょせい》も観光客《かんこうきゃく》の様《よう》だし…死亡推定時刻《しぼうすいていじこく》は、昨夜《ゆうべ》の8時《じ》から9時《じ》の間《あいだ》…花火大《はなびたい》会《かい》が終《お》わった後《あと》か…」

部下《ぶか》と話《はな》す横溝警部《よこみぞけいぶ》の声《こえ》を聞《き》いて、現場《げんば》に来《き》ていた園子《そのこ》は「え？」と目《め》を丸《まる》くして、隣《となり》にいる蘭《らん》の方《ほう》を見《み》た。

「ちょっとそれって、昨夜《ゆうべ》わたし達《たち》がこの辺《あた》りを通《とお》った頃《ころ》じゃない？」

「そ、そうね…」

蘭《らん》がうなずく。

一歩《いっぽ》間違《まちが》えれば、もしかしたら園子《そのこ》が襲《おそ》われていたのかもしれない。園子《そのこ》は背筋《せすじ》をぶるりと震《ふる》わせた。

「なんか怖《こわ》い…」

「バカね！　園子《そのこ》が狙《ねら》われるわけないわよ！」

蘭《らん》が、明《あか》るく励《はげ》ます。

しかし、園子《そのこ》は目《め》に涙《なみだ》を浮《う》かべて「見《み》てよホラ！」と自分《じぶん》の髪《かみ》を指《ゆび》さした。

「わたしも茶髪《ちゃぱつ》なのよ!?　わたしが次《つぎ》に狙《ねら》われない保証《ほしょう》なんてないでしょ？　ヤダよ…こんな所《ところ》で死《し》ぬなんて…まだやりたい事《こと》これっぽっちもやってないのに…」

「園子《そのこ》…」

不安《ふあん》げにうつむいた園子《そのこ》の肩《かた》に、道脇《みちわき》がそっと手《て》をのせた。

「大丈夫《だいじょうぶ》…この伊豆《いず》にいる間《あいだ》…僕《ぼく》が守《まも》ってあげるから…」

優《やさ》しくささやかれ、園子《そのこ》がほっとした表情《ひょうじょう》になる。

「それより夕食《ゆうしょく》の場所《ばしょ》変《か》えた方《ほう》がよさそうだな…」

道脇《みちわき》の言葉《ことば》に、園子《そのこ》は「う、うん…」とうなずいて、目《め》に浮《う》かんだ涙《なみだ》をぬぐった。レストランに出《で》ると噂《うわさ》の幽霊《ゆうれい》も、殺人事件《さつじんじけん》の被害者《ひがいしゃ》だ。園子《そのこ》がこんなに怖《こわ》がっている状況《じょうきょう》で、そこに行《い》くのはさすがに控《ひか》えた方《ほう》がよいだろう。

「あと、カメラもなしね！」

蘭《らん》がすかさず付《つ》け加《くわ》える。

「じゃあ7時頃《じごろ》迎《むか》えに行《い》くから、旅館《りょかん》の玄関先《げんかんさき》で待《ま》っててよ！」

その時《とき》、コナンは野次馬《やじうま》の中《なか》に気《き》になる人影《ひとかげ》を見《み》つけて「？」とふり返《かえ》った。

(あれ？　あの人《ひと》確《たし》か…さっき海《うみ》の家《いえ》にいた…)

道脇《みちわき》と店員《てんいん》のやり取《と》りをじっと見《み》つめていた、キャップをかぶった中年男《ちゅうねんおとこ》だ。

ほかの野次馬《やじうま》はみんな、殺人事件《さつじんじけん》のあった現場《げんば》の方《ほう》を見《み》ているというのに、その男《おとこ》はなぜか現場《げんば》に背《せ》を向《む》けて、そそくさと立《た》ち去《さ》ろうとしていた。

午後七時《ごごしちじ》。

蘭《らん》と園子《そのこ》は、宿泊《しゅくはく》している瓦屋旅館《かわらやりょかん》の前《まえ》で、道脇《みちわき》が来《く》るのを待《ま》っていた。

「わっ…降《ふ》って来《き》ちゃったよ…」

園子《そのこ》が空《そら》を見上《みあ》げてつぶやく。

空《そら》には厚《あつ》く雲《くも》がたれこめ、ザーザーと雨《あめ》が降《ふ》り始《はじ》めていた。

「早《はや》く来《き》てくれないかなー道脇《みちわき》さん…」

腕時計《うでどけい》を見《み》ながら、待《ま》ちどおしそうにする園子《そのこ》を、蘭《らん》はほほえましく見《み》つめた。

「焦《あせ》らない焦《あせ》らない！　ヒーローは遅《おく》れてくるモンなんだから！」

「やめてよ、恥《は》ずかしいなぁ…」

園子《そのこ》がうれしそうに肩《かた》をすくめる。

その時《とき》、旅館《りょかん》の入《い》り口《ぐち》がガラッと開《あ》いた。

「え？」

顔《かお》を向《む》けると、海《うみ》の家《いえ》で店員《てんいん》をしていた、眼鏡《めがね》をかけた男《おとこ》が、番傘《ばんがさ》を持《も》って立《た》っている。

「へ？」

眼鏡《めがね》の男《おとこ》は、番傘《ばんがさ》を扉《とびら》に立《た》てかけると、何《なに》も言《い》わずにぴしゃりと扉《とびら》を閉《し》めてしまった。

「なんだろこの傘《かさ》…」

「使《つか》えって事《こと》かなあ…？」

蘭《らん》と園子《そのこ》は、不思議《ふしぎ》そうに番傘《ばんがさ》を見《み》つめた。

何《なに》も言《い》われていないので、使《つか》っていいのか悪《わる》いのか、よくわからない。

「もしかしてあの人《ひと》、園子姉《そのこねえ》ちゃんに気《き》があるんじゃないの？」

コナンが言《い》うと、園子《そのこ》は「え～～～～っ!!!」と叫《さけ》んで顔《かお》を赤《あか》くした。

「なによ園子《そのこ》、モテモテじゃない！」

「やめてよ、あんな暗《くら》い男《おとこ》…」

そう言《い》うものの、園子《そのこ》の表情《ひょうじょう》はまんざらでもなさそうだ。

「そうねー、園子《そのこ》には道脇《みちわき》さんがいるもんね！」

にっこりと蘭《らん》に言《い》われ、園子《そのこ》は照《て》れくささをごまかすように、ジーンズのポケットに手《て》をやった。と、急《きゅう》に目《め》を丸《まる》くして「あ、ヤバ」と声《こえ》を上《あ》げる。

「部屋《へや》に財布忘《さいふわす》れて来《き》た！」

「ウソ…」

「待《ま》ってて！　すぐ取《と》って来《く》るから！」

そう言《い》うと、園子《そのこ》は旅館《りょかん》の中《なか》に戻《もど》り、玄関《げんかん》で靴《くつ》を脱《ぬ》いだ。

「うん…」

部屋《へや》へ戻《もど》っていく園子《そのこ》を見送《みおく》ると、蘭《らん》は「………」と、口元《くちもと》に手《て》をあてて、なにか深刻《しんこく》に考《かんが》え始《はじ》めた。

「どーしたの？　蘭姉《らんねえ》ちゃん？」

コナンが声《こえ》をかける。

「やっぱりわたし、さっきの眼鏡《めがね》の人《ひと》…どこかで見《み》た気《き》がする…」

「だからこの旅館《りょかん》の中《なか》ででしょ？」

「いや、ここじゃない…もっと別《べつ》のどこかで…」

「それホント？」

コナンの声《こえ》に、あせりの色《いろ》がまじった。

この近辺《きんぺん》では、通《とお》り魔事件《まじけん》が連続《れんぞく》して発生《はっせい》しているのだ。もしかしたら、眼鏡《めがね》の男《おとこ》は、なにか事件《じけん》と関係《かんけい》があるのかもしれない。

「う、うん…」

「どこなのそれ？　どこで見《み》たの蘭姉《らんねえ》ちゃん⁉」

蘭《らん》は、顔《かお》をしかめて、一生懸命《いっしょうけんめい》に記憶《きおく》をさぐった。

「……」

しかし、なかなか思《おも》い出《だ》せない。

コナンは、ぎゅっと手《て》のひらを握《にぎ》りしめて、「蘭姉《らんねえ》ちゃん⁉」とさらに畳《たた》みかけた。


その頃《ころ》、園子《そのこ》は、忘《わす》れた財布《さいふ》を取《と》りに向《む》かっていた。

木造《もくぞう》の廊下《ろうか》を小走《こばし》りに駆《か》け、宿泊《しゅくはく》している部屋《へや》に入《はい》って、居間《いま》のフスマをガラッと開《あ》ける。

すると、部屋《へや》の中《なか》には見知《みし》らぬ人物《じんぶつ》がいて、園子《そのこ》の荷物《にもつ》をあさっていた。

「え？」

ぎょろりとした目玉《めだま》が、園子《そのこ》の方《ほう》を向《む》く。

薄暗《うすぐら》いせいで、顔《かお》はよくわからないが、明《あき》らかに不審人物《ふしんじんぶつ》だ。

「あ…ああ…」

園子《そのこ》は、恐怖《きょうふ》のあまり腰《こし》を抜《ぬ》かしてしまった。

床《ゆか》を這《は》い、なんとか部屋《へや》から出《で》ようとするが、後《うし》ろから男《おとこ》につかまってしまう。

「ん――っ…ん――っ…」

手《て》で口《くち》をふさがれながらも、園子《そのこ》は必死《ひっし》に助《たす》けを求《もと》めて、「ん〜〜〜…」と誰《だれ》もいない廊下《ろうか》に手《て》を伸《の》ばした。

しかし、部屋《へや》の中《なか》へと引《ひ》きずり戻《もど》され、ピシャッとフスマを閉《し》められてしまう。

男《おとこ》は、園子《そのこ》の口《くち》をふさいだまま、手《て》に握《にぎ》りしめたナイフをふり上《あ》げた。


「ん――…ん――…ん―――!」

園子《そのこ》は、口《くち》をふさぐ男《おとこ》の腕《うで》を必死《ひっし》に引《ひ》きはがそうとした。

しかし、男《おとこ》の力《ちから》は強《つよ》く、びくともしない。暗闇《くらやみ》の中《なか》で、外《そと》の光《ひかり》を反射《はんしゃ》してナイフの刃先《はさき》がきらりと光《ひか》り、園子《そのこ》は恐怖《きょうふ》にかられた。

「ん〜〜〜!!」

男《おとこ》の握《にぎ》るナイフが、園子《そのこ》めがけてふりおろされる。

その時《とき》、突然《とつぜん》、部屋《へや》のフスマがガラッと開《あ》いた。男《おとこ》が、はじかれたように動《うご》きを止《と》める。

「園子《そのこ》――？」

蘭《らん》の声《こえ》だ。なかなか戻《もど》らない園子《そのこ》を心配《しんぱい》して、様子《ようす》を見《み》に来《き》たらしい。

「何《なに》してるのよ――？　まさか着《き》がえてるんじゃ…」

蘭《らん》が、居間《いま》のフスマを開《あ》けて、中《なか》をのぞきこんだときには、すでに男《おとこ》は逃《に》げた後《あと》だった。

間一髪《かんいっぱつ》で助《たす》かった園子《そのこ》は、目《め》に涙《なみだ》を溜《た》めて、ケホケホと苦《くる》しそうに咳《せき》こんだ。

「え？　な、何《なに》？　どーしたの？」

「へ、変《へん》な男《おとこ》がいきなり襲《おそ》って来《き》て、窓《まど》から外《そと》に…」

園子《そのこ》が、ベランダの方《ほう》を指《ゆび》さす。

（なに⁉）

蘭《らん》と一緒《いっしょ》に様子《ようす》を見《み》にきていたコナンは、ベランダへとダッと駆《か》け出《だ》した。

手《て》すりから身《み》を乗《の》り出《だ》して、怪《あや》しい男《おとこ》を探《さが》すが、それらしい人影《ひとかげ》はない。

（くそっ…逃《に》げた後《あと》か…）

不審者《ふしんしゃ》には逃《に》げられてしまったが、幸《さいわ》いにも、園子《そのこ》にけがはなかったようだ。

ほっとして気が抜けたのか、園子《そのこ》は声《こえ》を震《ふる》わせて、蘭《らん》に泣《な》きついた。

「え――ん、怖《こわ》かったよ〜〜〜!!」

蘭《らん》は園子《そのこ》の肩《かた》を抱《だ》いて落《お》ち着《つ》かせながら、「……でもなんで園子《そのこ》が…」とつぶやいた。

「知《し》らないわよ！　この部屋《へや》のフスマを開《あ》けたらその男《おとこ》がわたし達《たち》の荷物《にもつ》をあさってて、大声出《おおごえだ》そうと思《おも》ったら襲《おそ》って来《き》たのよ!!」

(荷物《にもつ》をあさってた？)

コナンは、眉《まゆ》をひそめた。男《おとこ》の目的《もくてき》は、園子《そのこ》か蘭《らん》の荷物《にもつ》の中《なか》にあったのだろうか。

「きっと下着《したぎ》ドロよ、サイテー!!」

「それで？　どんな人《ひと》だった？　顔見《かおみ》たんでしょ？」

蘭《らん》が、園子《そのこ》を気《き》づかいながら、質問《しつもん》を重《かさ》ねた。

「そんな余裕《よゆう》なかったわよ！　部屋暗《へやくら》かったし…怖《こわ》くて足《あし》すくんじゃってたから…」

「でも、園子《そのこ》、男《おとこ》の人《ひと》だって…」

顔《かお》を見《み》る余裕《よゆう》もなかったのなら、どうして性別《せいべつ》がわかったのだろうか。疑問《ぎもん》を口《くち》にする蘭《らん》に向《む》かって、園子《そのこ》は顔《かお》をはねあげた。

「もみ合《あ》ってる時《とき》に腕《うで》に噛《か》みついてやったのよ!!　その男《おとこ》の毛深《けぶか》い二《に》の腕《うで》にね！」

突然襲《とつぜんおそ》われたにもかかわらず、園子《そのこ》は果敢《かかん》に反撃《はんげき》していたのだ。蘭《らん》はちょっと圧倒《あっとう》されつつ、「へ――、やるじゃない…」とつぶやいた。

園子《そのこ》と蘭《らん》の会話《かいわ》を聞《き》きながら、コナンは「………」と考《かんが》えこむ。園子《そのこ》を襲《おそ》った男《おとこ》は誰《だれ》なのだろう。そして、男《おとこ》の狙《ねら》いは、一体何《いったいなん》なのだろうか。

その時《とき》、パッと部屋《へや》の明《あ》かりがついた。

電灯《でんとう》のスイッチを押《お》したのは、道脇《みちわき》だ。

「どうしたんだい？　部屋《へや》に明《あ》かりもつけないで…」

「み、道脇《みちわき》さん…」

蘭《らん》が驚《おどろ》いて、道脇《みちわき》の顔《かお》を見《み》つめる。旅館《りょかん》の前《まえ》で待《ま》ち合《あ》わせる約束《やくそく》だったのに、どうしてここにいるのだろうか。

「車《くるま》が途中《とちゅう》でエンストしちゃってさ！　急《いそ》いで走《はし》って来《き》たんだが…」

道脇《みちわき》が説明《せつめい》した。

「でもどうしてこの部屋《へや》が…？」

「玄関先《げんかんさき》に君達《きみたち》がいないから、旅館《りょかん》の人《ひと》に聞《き》いたんだ…」

道脇《みちわき》の着《き》ているシャツは、軽《かる》く湿《しめ》っていた。ズボンにも泥《どろ》のハネたあとがある。

（濡《ぬ》れたシャツ…そして泥《どろ》がハネたズボン…）

コナンは道脇《みちわき》の服装《ふくそう》をじっと観察《かんさつ》した。車《くるま》が停《と》まった場所《ばしょ》からここまで走《はし》ってきたのだから、服《ふく》が濡《ぬ》れて泥《どろ》が飛《と》んでいるのは不自然《ふしぜん》ではない。しかし、彼《かれ》が雨《あめ》の中《なか》を走《はし》ったのは、本当《ほんとう》に車《くるま》がエンストしたからだろうか？

園子《そのこ》を襲《おそ》って部屋《へや》から逃《に》げた男《おとこ》も、同《おな》じように、雨《あめ》の中《なか》を走《はし》ったはずだ。

（まさか…――）

「ねぇお兄《にい》さん？　そのシャツ脱《ぬ》いでくれない？」

コナンは、子供《こども》らしい口調《くちょう》をよそおって、道脇《みちわき》に声《こえ》をかけた。

「え？」

「ちょっと二《に》の腕《うで》を見《み》せて欲《ほ》しいんだけど…」

突拍子《とっぴょうし》のないことを言《い》い出《だ》したコナンを、「コ、コナン君《くん》？」と蘭《らん》が止《と》めようとする
「なんだか知《し》らないけど…ウデに何《なに》かあるのかい？」

怪訝《けげん》そうにしつつも、道脇《みちわき》はすんなりシャツを脱《ぬ》いで上半身《じょうはんしん》だけ裸《はだか》になり、腕《うで》を見《み》せてくれた。しかし――。

（ない…園子《そのこ》の歯形《はがた》がどこにも…）

園子《そのこ》を襲《おそ》った男《おとこ》は、道脇《みちわき》ではなさそうだ。

騒《さわ》ぎを聞《き》きつけたのか、さっき番傘《ばんがさ》を貸《か》してくれたあの眼鏡《めがね》の男《おとこ》も、部屋《へや》の中《なか》に入《はい》ってきた。

「どうかしましたか？ お客《きゃく》さん…」

そう声《こえ》をかける眼鏡《めがね》の男《おとこ》の二《に》の腕《うで》には、包帯《ほうたい》がまかれていた。

(ほ、包帯《ほうたい》!?)

一同《いちどう》は、息《いき》をのんだ。もしかして、園子《そのこ》に噛《か》まれた痕《あと》を隠《かく》しているのではないだろうか？

「どうしたんですか？ その右腕《みぎうで》…」

蘭《らん》は硬《かた》い表情《ひょうじょう》で、眼鏡《めがね》の男《おとこ》に聞《き》いた。

「ああ…これはこの前酔《まえよ》ったお客《きゃく》さんにからまれてね…」

「それいつですか？ 答《こた》えて！」

声《こえ》を荒《あら》らげる蘭《らん》に、園子《そのこ》は「この人《ひと》じゃないと思《おも》うよ…」とやんわり言《い》った。

「わたしを襲《おそ》った人《ひと》、毛深《けぶか》かったし…」

「襲《おそ》われた？」

「ええ！」

眼鏡《めがね》の男《おとこ》に聞《き》かれ、蘭《らん》は開《あ》いた窓《まど》の方《ほう》を指《ゆび》さした。

「男《おとこ》があの窓《まど》から入《はい》って来《き》て、わたし達《たち》の荷物《にもつ》を荒《あら》して、たまたま部屋《へや》に来《き》た園子《そのこ》を襲《おそ》ったんですよ！　まぁ、わたし達《たち》が来《き》たから男《おとこ》は何《なに》もしないで窓《まど》から逃《に》げたみたいですけどね…」

「…恐《おそ》らく泥棒《どろぼう》のたぐいでしょう…前《まえ》にも一度《いちど》ありましたし…」

そう言《い》いながら、眼鏡《めがね》の男《おとこ》はピシャッと窓《まど》を閉《し》め、鍵《かぎ》をかけた。

「前《まえ》にも、って…どーして教《おし》えてくれなかったんですか⁉」

「いったはずですよ…戸締《とじ》まりはしっかりする様《よう》にと…」

声《こえ》を荒《あら》らげた園子《そのこ》に冷静《れいせい》に言《い》い返《かえ》して、眼鏡《めがね》の男《おとこ》は続《つづ》けた。

「それに、こんな時間《じかん》ヘソを出《だ》した格好《かっこう》をしているあなたもあなただ…」

「え？」

「それじゃあ襲《おそ》ってくれといっている様《よう》なもの…あなたに似合《にあ》ってるとも思《おも》いませんし…」

失礼《しつれい》なことを言《い》いながら、眼鏡《めがね》の男《おとこ》は後《うし》ろ手《で》に窓《まど》の障子《しょうじ》を閉《し》めて、外《そと》から部屋《へや》の中《なか》の様《よう》子《す》が見《み》えないようにした。

「ひっどーい！　これお気《き》に入《い》りなのよ⁉」

声《こえ》をとがらせる園子《そのこ》に、道脇《みちわき》がささやいた。

「大丈夫《だいじょうぶ》、君《きみ》は何《なに》を着《き》ても魅力的《みりょくてき》だよ…もちろん浴衣《ゆかた》も水着《みずぎ》もね！」

甘《あま》い言葉《ことば》をかけられて、園子《そのこ》の頬《ほお》がポッと赤《あか》く染《そ》まる。

畳《たたみ》の上《うえ》には、蘭《らん》と園子《そのこ》の荷物《にもつ》が、男《おとこ》に荒《あ》らされた時《とき》のまま散《ち》らばっていた。眼鏡《めがね》の男《おとこ》は無言《むごん》で、いきなり荷物《にもつ》を片付《かたづ》け始《はじ》めた。

「な、何《なに》してるんですか⁉」

勝手《かって》に私物《しぶつ》を触《さわ》られ、蘭《らん》が驚《おどろ》いたように声《こえ》をかけた。

「部屋《へや》を移《うつ》してあげるんですよ…空《あ》いている別《べつ》の部屋《へや》に…男《おとこ》が侵入《しんにゅう》したこの部屋《へや》で一夜《いちや》を明《あ》かしたいのなら話《はなし》は別《べつ》ですが…」

「い、いえ…」

蘭《らん》は首《くび》をふった。不愛想《ぶあいそう》なので伝《つた》わりづらいが、番傘《ばんがさ》を貸《か》してくれたりと、眼鏡《めがね》の男《おとこ》はさりげなく蘭《らん》と園子《そのこ》に親切《しんせつ》にしてくれている。

眼鏡《めがね》の男《おとこ》は手際《てぎわ》よく荷物《にもつ》をまとめると、二人分《ふたりぶん》のカバンを軽々《かるがる》と持《も》って蘭《らん》たちの方《ほう》をふり返《かえ》った。

「それと、外出《がいしゅつ》を避《さ》けて夕食《ゆうしょく》はここの食堂《しょくどう》でとった方《ほう》がいいでしょう…その男《おとこ》がどこかで待《ま》ち伏《ぶ》せているかもしれませんし…」


眼鏡《めがね》の男《おとこ》の忠告《ちゅうこく》に従《したが》い、園子《そのこ》たちはレストランに行《い》くのをやめて、旅館《りょかん》の食堂《しょくどう》で夕食《ゆうしょく》を取《と》ることにした。

「へ――…結構《けっこう》おいしいわね、ここの料理《りょうり》…」

園子《そのこ》は感心《かんしん》してつぶやいた。お刺身《さしみ》や焼《や》き魚《ざかな》、タコの酢《す》の物《もの》など、出《だ》された料理《りょうり》は新鮮《しんせん》な海《うみ》の幸《さち》ばかりで、どれもとてもおいしいのだ。

「こんなんなら、昨夜《ゆうべ》もここで食《た》べればよかったね！」

蘭《らん》も、うれしそうに言《い》う。

「予約《よやく》してくだされればもっとおいしい海鮮料理《かいせんりょうり》をごちそうできたんですがね…」

眼鏡《めがね》の男《おとこ》は、そう言《い》いながら、デザートのメロンの皿《さら》を淡々《たんたん》とテーブルに並《なら》べた。

「もちろん料理《りょうり》の代金《だいきん》はいりません…そのかわり、泥棒《どろぼう》の出《で》る物騒《ぶっそう》な旅館《りょかん》だなんていいふらさないでくださいよ…」

「えーーえーーいいませんよ！　ナイフ持《も》った下着《したぎ》ドロの出《で》る旅館《りょかん》だなんてねーー！」

去《さ》っていく眼鏡《めがね》の男《おとこ》に向《む》かってベーっと舌《した》を出《だ》した園子《そのこ》に、蘭《らん》が驚《おどろ》いた視線《しせん》を向《む》けた。

「ナ、ナイフ？」

「そうよ！　フスマのスキ間《ま》からもれる光《ひかり》に照《て》らされて一瞬《いっしゅん》だけ見《み》えたのよ！　キラっと光《ひか》るナイフがね！」

コナンも蘭《らん》も、男《おとこ》がナイフを持《も》っていたとは聞《き》いていなかった。

（ま、まさか…）

コナンの頭《あたま》をよぎるのは、この周辺《しゅうへん》で続発《ぞくはつ》しているという殺人事件《さつじんじけん》のことだ。

（まさか昼間《ひるま》、線路沿《せんろぞ》いの林《はやし》で死体《したい》が見《み》つかった事件《じけん》と同《おな》じ犯人《はんにん》じゃねーだろーな…一年前《いちねんまえ》もこの伊豆《いず》で起《お》こったという、茶髪《ちゃぱつ》の女性《じょせい》が刃物《はもの》で腹部《ふくぶ》をメッタ刺《ざ》しにされたあの事件《じけん》の犯人《はんにん》と…）

コナンは箸《はし》を持《も》つ手《て》を止《と》めて、園子《そのこ》の方《ほう》を見《み》た。

（でもそーだとしたら、なんで園子《そのこ》が狙《ねら》われなきゃいけねーんだ？　茶髪《ちゃぱつ》だから？　そんなバカな⁉）

茶髪《ちゃぱつ》のほかに、園子《そのこ》が狙《ねら》われる理由《りゆう》はないのだろうか——コナンは、じっと考《かんが》えこんだ。

(待《ま》てよ…確《たし》か園子《そのこ》を襲《おそ》った男《おとこ》は荷物《にもつ》を荒《あら》してたっていってたな…部屋《へや》にあった荷物《にもつ》で、事件《じけん》に関《かか》わり合《あ》いがある可能性《かのうせい》が高《たか》い物《もの》といえば…)

コナンは、ハッとして顔《かお》を上《あ》げた。

(カ、カメラ！ まさかあのカメラに事件《じけん》に関係《かんけい》する何《なに》かが写《うつ》っているんじゃ…)

「ねえ、園子姉《そのこねえ》ちゃん！」

コナンは身《み》を乗《の》り出《だ》して、対面《たいめん》に座《すわ》る園子《そのこ》に声《こえ》をかけた。

「さっきの人《ひと》にカメラ盗《と》られなかった？」

「ん？ ちゃんと荷物《にもつ》の中《なか》にあったわよ！ なんかフタが開《ひら》いてたけど…」

「じゃーフィルム盗《と》られたんじゃ…」

「最初《さいしょ》から入《はい》ってなかったわよ！」

言《い》いながら、園子《そのこ》はジーンズのポケットに手《て》を差《さ》しいれた。

「36枚撮《まいと》り終《お》わっちゃったから、夕食《ゆうしょく》の時《とき》みんなで見《み》ようと思《おも》って昼間現像《ひるまげんぞう》に出《だ》して…ほら！ もう写真《しゃしん》になってるもの！」

ポケットから出《だ》したのは、プリント済《ず》みの写真《しゃしん》の束《たば》だ。

「どれどれ、見《み》せてくれないか？」

「どうぞ――！」

園子《そのこ》が道脇《みちわき》に写真《しゃしん》を差《さ》し出《だ》すと、蘭《らん》はあわてたように「あ――ちょっと…」と声《こえ》を上《あ》げた。園子《そのこ》が撮《と》った写真《しゃしん》の中《なか》には、水着《みずぎ》を直《なお》す蘭《らん》のお尻《しり》のアップも含《ふく》まれているのだ。

「大丈夫《だいじょうぶ》！　例《れい》の蘭《らん》の写真《しゃしん》は抜《ぬ》いて、わたしが保管《ほかん》してるから♡」

園子《そのこ》がニヤケ顔《がお》で蘭《らん》にささやく。

一枚《いちまい》ずつ写真《しゃしん》を見《み》ていた道脇《みちわき》は、「ん？」と手《て》を止《と》めた。蘭《らん》と園子《そのこ》の写真《しゃしん》にまじって、見知《みし》らぬカップルの写真《しゃしん》がたくさんあるのだ。木陰《こかげ》でキスをしようとしているところや、カフェで二人《ふたり》でジュースを飲《の》んでいるところなど、デートを隠《かく》し撮《ど》りしたようなものが多《おお》かった。

「この人達《ひとたち》は知《し》り合《あ》い？　やけにアベックの写真《しゃしん》が多《おお》いけど…」

道脇《みちわき》が不思議《ふしぎ》そうに聞《き》く。

「それは園子《そのこ》が道脇《みちわき》さんに会《あ》うまですごく不機嫌《ふきげん》で、冷《ひ》やかしながらカップルの写真《しゃしん》を撮《と》りまくっていたからです！」

「ら、蘭《らん》…」

蘭《らん》にずばっとバラされて、園子《そのこ》はばつが悪《わる》そうに苦笑《にがわら》いした。

一方《いっぽう》、コナンは、道脇《みちわき》と一緒《いっしょ》に写真《しゃしん》を見《み》ながら、事件《じけん》につながる手《て》がかりを探《さが》していた。

しかし、それらしいものは見《み》つからない。

(変《へん》だな…特《とく》に変《か》わった写真《しゃしん》はないし…もちろん被害者《ひがいしゃ》の女性《じょせい》も写《うつ》っていない…。それに、オレ達《たち》は昨夜《ゆうべ》確《たし》かに死体《したい》が発見《はっけん》されたあの林《はやし》のそばを通《とお》ったけど、園子《そのこ》は写真《しゃしん》なんか撮《と》ってなかったし…)

林《はやし》のそばを通《とお》ったのは、花火大会《はなびたいかい》に行《い》った帰《かえ》り道《みち》だ。蘭《らん》と園子《そのこ》、そしてコナンは、旅館《りょかん》の浴衣《ゆかた》を着《き》ていた。園子《そのこ》は確《たし》かにカメラを持《も》っていて、ストラップをぶんぶんとふり回《まわ》していたが、写真《しゃしん》を撮《と》ってはいなかったはずだ。

(じゃあなんで犯人《はんにん》は、人《ひと》に見《み》られちゃマズイ写真《しゃしん》を園子《そのこ》に撮《と》られたなんて勘違《かんちが》いしたんだ？　いったいどうして？　気《き》になるのは昼間《ひるま》、海《うみ》の家《いえ》で園子《そのこ》がいったあの言葉《ことば》…)

コナンは、園子《そのこ》が蘭《らん》に言《い》ったセリフを思《おも》い返《かえ》した。

――新一君《しんいちくん》の推理力《すいりりょく》なら、あの写真《しゃしん》が誰《だれ》なのかすぐに見抜《みぬ》いちゃうと思《おも》うけど？

お尻《しり》のアップを見《み》ただけで新一《しんいち》なら蘭《らん》だとわかるだろう、と園子《そのこ》がふざけて言《い》った言葉《ことば》だ。

（あの時《とき》、犯人《はんにん》があの海《うみ》の家《いえ》にいたとしたら…。……でもあんなので勘違《かんちが》いするだろうか…？　それに、蘭《らん》がどこかであの眼鏡《めがね》の人《ひと》を見《み》たっていうのも気《き》になる…）

コナンは、黙々《もくもく》と料理《りょうり》を運《はこ》ぶ眼鏡《めがね》の男《おとこ》に目《め》を向《む》けた。

左腕《ひだりうで》の包帯《ほうたい》は怪《あや》しいが、園子《そのこ》によれば、襲《おそ》ってきた男《おとこ》の腕《うで》は毛《け》むくじゃらだったはずだ。

眼鏡《めがね》の男《おとこ》の二《に》の腕《うで》には、毛《け》は全《まった》く生《は》えていない。

「ねえ君達《きみたち》、明日《あした》の昼《ひる》に帰《かえ》るんだったよね？」

写真《しゃしん》を見終《みお》えた道脇《みちわき》が、にこやかに切《き》り出《だ》した。

「じゃあ午前中《ごぜんちゅう》に例《れい》の呪《のろ》いのレストランに行《い》ってみる？」

「え～～～～…」

蘭《らん》はためらったが、園子《そのこ》は「行《い》く行《い》く！」と声《こえ》をはずませた。

「昼間《ひるま》だったら怖《こわ》くないし！」

うれしそうな園子《そのこ》の様子《ようす》を見《み》て、蘭《らん》はしぶしぶレストランに行《い》くことを了承《りょうしょう》したが、

「じゃあカメラなしよ！」

と、しっかり釘《くぎ》を刺《さ》した。

「わかってるって！」

園子《そのこ》が軽《かる》く答《こた》える。

その時《とき》、コナンの背後《はいご》を、一人《ひとり》の男《おとこ》が通《とお》り過《す》ぎた。

「!?」

視線《しせん》を向《む》ければ、海《うみ》の家《いえ》や殺人事件《さつじんじけん》の現場《げんば》にもいた、キャップをかぶった中年《ちゅうねん》の男《おとこ》だ。

(あれ、あの人《ひと》…ここの客《きゃく》だったのか…)

キャップの男《おとこ》の二《に》の腕《うで》は、毛《け》むくじゃらだった。


翌日《よくじつ》、旅館《りょかん》に迎《むか》えにきた道脇《みちわき》は、ポロシャツに半《はん》ズボンを合《あ》わせた涼《すず》しげな服装《ふくそう》をしていた。足元《あしもと》はサンダルで、白《しろ》いソックスを履《は》いている。

蘭《らん》と園子《そのこ》は、道脇《みちわき》の運転《うんてん》する車《くるま》で、例《れい》のレストランへとやって来《き》た。

レストランはゆるい坂道《さかみち》の上《うえ》にあり、駐車場《ちゅうしゃじょう》は坂道《さかみち》の道路脇《どうろわき》に用意《ようい》されていた。道路《どうろ》にひかれた白線《はくせん》に従《したが》い、道脇《みちわき》は車《くるま》を縦列駐車《じゅうれつちゅうしゃ》した。

道路《どうろ》のすぐ横《よこ》はガケになっていて、海《うみ》が見渡《みわた》せる。

「わ——、ステキなレストラン！」

車《くるま》を出《で》た蘭《らん》は、坂《さか》の上《うえ》のレストランを見上《みあ》げて、うれしそうに声《こえ》を上《あ》げた。

レストランは、海《うみ》を見渡《みわた》せる岬《みさき》の上《うえ》に建《た》っている。ヨーロッパ風《ふう》の建物《たてもの》は洒落《しゃれ》た雰囲気《ふんいき》で、いかにも女性《じょせい》に人気《にんき》がありそうだった。

「でもお客《きゃく》さんあんまり来《き》てないみたいだね…」

ガラガラの駐車場《ちゅうしゃじょう》を見回《みまわ》して、コナンがつぶやいた。

「ちょっと早《はや》く来過《きす》ぎたかな？」

運転席《うんてんせき》から出《で》てきた道脇《みちわき》が、首《くび》をかしげる。

蘭《らん》は、後部座席《こうぶざせき》の園子《そのこ》に声《こえ》をかけた。

「本当《ほんとう》に行《い》かないの？　園子《そのこ》…」

「うん…布団《ふとん》の中《なか》で昨夜《ゆうべ》の男《おとこ》の事思《ことおも》い出《だ》しちゃってあんまり眠《ねむ》れなかったから、ここで寝《ね》てるよ…」

そう言《い》うと、園子《そのこ》は、ふわぁと眠《ねむ》たそうにあくびをした。

「じゃー、クーラーボックスに飲《の》み物《もの》が入《はい》ってるから、いつでも飲《の》みなよ！」

道脇《みちわき》は、助手席《じょしゅせき》のドアを開《あ》けて、クーラーボックスを持《も》ち上《あ》げた。中《なか》に入《はい》っている氷《こおり》が、ガラッと音《おと》を立《た》てる。

「はーい!」

元気《げんき》よく返事《へんじ》を返《かえ》して、園子《そのこ》は横《よこ》になった。

道脇《みちわき》は、車《くるま》の鍵《かぎ》をロックすると、蘭《らん》とコナンを連《つ》れてレストランへと向《む》かった。

「大丈夫《だいじょうぶ》かなぁ…暑《あつ》い中《なか》、車《くるま》の中《なか》で寝《ね》てて…」

蘭《らん》は、車内《しゃない》に残《のこ》った園子《そのこ》のことを心配《しんぱい》していた。

「エアコンつけてあるから心配《しんぱい》ないよ…」


道脇《みちわき》たちが離《はな》れてからしばらくして、園子《そのこ》の眠《ねむ》る車《くるま》に近《ちか》づく人影《ひとかげ》があった。

あの、キャップをかぶった小太《こぶと》りの男《おとこ》だ。

男《おとこ》が、後部座席《こうぶざせき》をじっとのぞきこむ。

しかし園子《そのこ》は、スースーと寝入《ねい》っていて、男《おとこ》に全《まった》く気《き》づかなかった。


心霊写真《しんれいしゃしん》の撮《と》れるレストラン、と噂《うわさ》になっているわりには、レストランは清潔《せいけつ》で居心地《いごこち》が良《よ》く、しかも料理《りょうり》はどれもとてもおいしかった。

「な！　料理《りょうり》は抜群《ばつぐん》だっただろ？」

食後《しょくご》の紅茶《こうちゃ》を飲《の》みながら、道脇《みちわき》は蘭《らん》にほほえみかけた。

「はい、とっても！」

笑顔《えがお》でうなずいた蘭《らん》は、トイレから出《で》てきた男性《だんせい》に気《き》づいて「あら？」とつぶやいた。

蘭《らん》たちが泊《と》まっている旅館《りょかん》で働《はたら》いている、あの眼鏡《めがね》の男《おとこ》だ。

「あなたは旅館《りょかん》の…あなたもよくここへ来《く》るんですか？」

「いや、今日《きょう》が初《はじ》めてです…」

眼鏡《めがね》の男《おとこ》は、離《はな》れたテーブルに腰《こし》を下《お》ろした。

「ところで、あの茶髪《ちゃぱつ》の子《こ》はどうしました？　さっきから姿《すがた》が見《み》えませんが…」

「ああ、園子《そのこ》なら車《くるま》の中《なか》で…」

蘭《らん》が、窓《まど》の外《そと》を指《ゆび》さす。

すると駐車場《ちゅうしゃじょう》から、一台《いちだい》の車《くるま》が、坂道《さかみち》をゆっくりと下《くだ》っていった。

「あれってお兄《にい》さんの車《くるま》だよね？」

コナンが聞《き》くと、道脇《みちわき》は目《め》を丸《まる》くした。

「な、なんで動《うご》いてんだ⁉　おい、まずいぞ‼　あの先《さき》はガケだ‼」

眼鏡《めがね》の男《おとこ》が、真《ま》っ先《さき》に立《た》ち上《あ》がって店《みせ》の外《そと》へと走《はし》り出《で》ようとした。しかし、レストランの店員《てんいん》に食《く》い逃《に》げと勘違《かんちが》いされ、「ちょっとお客《きゃく》さんお勘定《かんじょう》‼」と腕《うで》を抱《かか》えられてしまう。

蘭《らん》とコナンは、眼鏡《めがね》の男《おとこ》の横《よこ》をすりぬけて、車《くるま》を停《と》めようとダッと駆《か》け出《だ》した。

車《くるま》を追《お》いかけて坂《さか》を走《はし》り下《お》りるコナンのつま先《さき》が、なにか金属《きんぞく》のようなものを蹴《け》り上《あ》げた。

「⁉」

(こ、これは…ロック開《あ》けの道具《どうぐ》…)

誰《だれ》かが、これを使《つか》って鍵《かぎ》を開《あ》け、車《くるま》を発進《はっしん》させたのだろうか。

蘭《らん》は車《くるま》に追《お》いついて、並走《へいそう》しながら、ドンドンと後部座席《こうぶざせき》の窓《まど》をたたいた。

「園子《そのこ》、起《お》きて‼　園子《そのこ》‼!」

しかし園子《そのこ》は目《め》を覚《さ》まさない。

窓《まど》ガラスを割《わ》ろうと、蘭《らん》は「アアアアア…」と気合《きあい》を入《い》れて腕《うで》に力《ちから》を込《こ》めた。

ドシ！

肘《ひじ》を思《おも》い切《き》りガラスにぶつける。しかし、ヒビも入《はい》らなかった。

「くっ」

蘭《らん》は顔《かお》をゆがめた。

(走《はし》りながらじゃ力《ちから》が入《はい》んない…)

コナンも車《くるま》に追《お》いついて並走《へいそう》していた。助手席側《じょしゅせきがわ》のサイドミラーに飛《と》びつき、窓《まど》に張《は》り付《つ》いて車内《しゃない》をのぞきこむ。そして、驚《おどろ》きで目《め》を見開《みひら》いた。

「⁉」

(サ、サイドブレーキが下《お》りてる⁉)

やはり、誰《だれ》かが車内《しゃない》に侵入《しんにゅう》してわざと車《くるま》を動《うご》かしたのだろうか。

ガケはもうすぐそこまで迫《せま》っている。

(ヤベ‼　もう距離《きょり》がねぇ――‼)

あせるコナンに、蘭《らん》が声《こえ》をかけた。

「コナン君《くん》、車《くるま》から離《はな》れて‼」

「え？」

コナンが、驚《おどろ》いてふり返《かえ》る。

蘭《らん》は、車《くるま》の天井《てんじょう》に手《て》をかけると、タンと地面《じめん》を蹴《け》った。身体《からだ》がふわりと浮《う》き上《あ》がり、一《いっ》瞬《しゅん》、車《くるま》の天井《てんじょう》に手《て》をついて逆立《さかだ》ちをしているような姿勢《しせい》になる。

そのまま勢《いきお》いをつけ、

「アアアア！」

蘭《らん》は両足《りょうあし》で窓《まど》を蹴《け》り破《やぶ》った。

バリン！

後部座席《こうぶざせき》の窓《まど》が、粉々《こなごな》に砕《くだ》け散《ち》った。

「ふえ？　どーしたの蘭《らん》？」

さすがに目《め》を覚《さ》ました園子《そのこ》が、眠《ねむ》そうに身体《からだ》を起《お》こした。蘭《らん》は後部座席《こうぶざせき》のドアを開《あ》けると、寝起《ねお》きでぼーっとしている園子《そのこ》に向《む》かって叫《さけ》んだ。

「園子《そのこ》!!　わたしにつかまって!!」

「へ？」

園子《そのこ》は、わけもわからず、蘭《らん》に飛《と》びついた。

すでに車《くるま》は、かなりのスピードが出《で》ている。園子《そのこ》を抱《だ》きかかえたまま、蘭《らん》は後《うし》ろ向《む》きに飛《と》んで車《くるま》から離《はな》れ、ズザッと地面《じめん》に倒《たお》れこんだ。

ドガッ！

車《くるま》がガードレールを突《つ》き破《やぶ》り、ガケの下《した》の海《うみ》へと真《ま》っ逆《さか》さまに落《お》ちていく。そして、着《ちゃく》水《すい》の衝撃《しょうげき》で大爆発《だいばくはつ》を起《お》こし、黒《くろ》い煙《けむり》を上《あ》げて炎上《えんじょう》してしまった。

蘭《らん》と園子《そのこ》は、ハアハアと荒《あら》い息《いき》をつきながら、燃《も》えさかる車《くるま》の煙《けむり》を見《み》つめた。

もし、園子《そのこ》が車《くるま》から脱出《だっしゅつ》できなかったらと思《おも》うと、ぞっとする。

「おーい、大丈夫《だいじょうぶ》かー！」

道脇《みちわき》が、園子《そのこ》たちを心配《しんぱい》して坂《さか》を走《はし》り下《お》りてきた。後《うし》ろには、眼鏡《めがね》の男《おとこ》の姿《すがた》もある。

「は、はい、なんとか……」

蘭《らん》はうなずいたが、園子《そのこ》を抱《かか》えたまま地面《じめん》に倒《たお》れこんだので、身体《からだ》がすり傷《きず》だらけになっていた。

「おい、あんた！　なぜサイドブレーキをかけなかった!?」

眼鏡《めがね》の男《おとこ》は、ガッと道脇《みちわき》の肩《かた》をつかんで声《こえ》を荒《あら》らげた。

「バカいえ！　ちゃんとかけたさ！　それにかかってなかったら、車《くるま》はとっくにガケ下《した》に落《お》ちてるよ！」

コナンは、走《はし》っている途中《とちゅう》で蹴《け》り上《あ》げた金属《きんぞく》を、指紋《しもん》がつかないようハンカチにくるんで拾《ひろ》い上《あ》げた。

「誰《だれ》かがこの道具《どうぐ》を使《つか》って車《くるま》の鍵《かぎ》をこじ開《あ》け、サイドブレーキを下《お》ろしたんだよ！」

「え？」

道脇《みちわき》と、眼鏡《めがね》の男《おとこ》が、同時《どうじ》にコナンの方《ほう》をふり返《かえ》る。

二人《ふたり》の反応《はんのう》を観察《かんさつ》しつつ、コナンは低《ひく》い声《こえ》で続《つづ》けた。

「園子《そのこ》姉《ねえ》ちゃんを殺《ころ》すために…」


蘭《らん》の通報《つうほう》を受《う》け、横溝警部《よこみぞけいぶ》が現場《げんば》にやって来《き》た。

刑事《けいじ》からの報告《ほうこく》を聞《き》き、横溝警部《よこみぞけいぶ》は「なるほど……」とうなずいて、ガケ下《した》をのぞきこんだ。

「園子《そのこ》さんが車《くるま》の中《なか》で寝《ね》ている間《あいだ》に誰《だれ》かが車《くるま》の鍵《かぎ》を開《あ》け、サイドブレーキを解除《かいじょ》して、この緩《ゆる》やかな坂道《さかみち》からガケ下《した》に車《くるま》を転落《てんらく》させたというわけか…」

「ええ…海《うみ》に潜《もぐ》って車《くるま》を調《しら》べたら、サイドブレーキは下《お》りていたそうですし…路上《ろじょう》でこんな物《もの》も見《み》つかっていますし…」

そう言《い》って、刑事《けいじ》は、コナンが道路《どうろ》で発見《はっけん》したものを横溝警部《よこみぞけいぶ》に見《み》せた。

「これはロック開《あ》けの道具《どうぐ》…犯人《はんにん》はプロか…」

横溝警部《よこみぞけいぶ》はつぶやいて、表情《ひょうじょう》を引《ひ》き締《し》め、部下《ぶか》の刑事《けいじ》に「それで？」と聞《き》いた。

「ほかに手掛《てが》かりになる様《よう》な物《もの》は？」

「いいえ…残《のこ》っていたのは、車《くるま》が駐車《ちゅうしゃ》してあった場所《ばしょ》に、車《くるま》のクーラーから漏《も》れ出《で》た水《みず》がたまっていたぐらいで…」

横溝警部《よこみぞけいぶ》は、近《ちか》くで報告《ほうこく》を聞《き》いていた園子《そのこ》の方《ほう》に顔《かお》を向《む》けた。

「では園子《そのこ》さん、車《くるま》の周《まわ》りをうろついていた不審人物《ふしんじんぶつ》を見《み》かけませんでしたか？」

「さぁ…わたしぐっすり寝《ね》てましたから…」

そう言《い》うと、園子《そのこ》は、背後《はいご》にいるあの眼鏡《めがね》の男《おとこ》の方《ほう》をちらりと見《み》やって続《つづ》けた。

「そのかわり、この伊豆《いず》に来《き》てから、なぜかわたし達《たち》のそばにたびたび出没《しゅつぼつ》する怪《あや》しい人《ひと》なら、そこに一人《ひとり》いますけど…」

「失礼《しつれい》ですがあなたは？」

「彼女達《かのじょたち》が泊《と》まっている宿《やど》の者《もの》です…今日《きょう》ここへ来《き》たのは偶然《ぐうぜん》で…」

横溝警部《よこみぞけいぶ》に聞《き》かれ、眼鏡《めがね》の男《おとこ》がすらすらと答《こた》える。その物腰《ものごし》は礼儀《れいぎ》正《ただ》しく、話《はな》し方《かた》にも不自然《ふしぜん》なところはなかった。

（いや…犯人《はんにん》はこの人《ひと》じゃない…）

コナンは確信《かくしん》をもって、眼鏡《めがね》の男《おとこ》の顔《かお》を見上《みあ》げた。

（車《くるま》が動《うご》き出《だ》した時《とき》、この人《ひと》はすでにオレ達《たち》が食事《しょくじ》していたレストランの中《なか》にいた…もしあの人《ひと》が車《くるま》のドアをこじ開《あ》け、サイドブレーキを解除《かいじょ》してからレストランに来《き》たのなら、入口《いりぐち》から入《はい》る所《ところ》をオレ達《たち》に見《み》られているはず…店《みせ》の人《ひと》に聞《き》いたら、レストランの裏口《うらぐち》は鍵《かぎ》が掛《か》かっていたっていうし…）

車《くるま》が動《うご》き出《だ》す前《まえ》からレストランの中《なか》にいた人物《じんぶつ》には、犯行《はんこう》は不可能《ふかのう》だ。

コナンは、続《つづ》けて道脇《みちわき》の方《ほう》へと視線《しせん》を向《む》けた。

（もちろん、オレ達《たち》と一緒《いっしょ》のテーブルで食事《しょくじ》をしていて一度《いちど》も席《せき》を外《はず》さなかったこの人《ひと》もシロ…じゃあ誰《だれ》なんだ犯人《はんにん》は…）

なぜ車《くるま》が勝手《かって》に動《うご》き出《だ》したのか。なぜ犯人《はんにん》は園子《そのこ》を狙《ねら》うのか。わからないことだらけだ。

「では詳《くわ》しい話《はなし》は署《しょ》で聞《き》かせてください…さぁ車《くるま》に…」

横溝警部《よこみぞけいぶ》が、パトカーの方《ほう》を手《て》で指《さ》して園子《そのこ》に言《い》う。

「え？　車《くるま》…」

車《くるま》と聞《き》いて、園子《そのこ》の顔《かお》がサァッと青《あお》ざめた。

「あ、あの…今《いま》、ちょっと車《くるま》に乗《の》りたくないんですけど…なんか怖《こわ》いし…」

「でも園子《そのこ》…」

蘭《らん》がなだめようとするが、園子《そのこ》の表情《ひょうじょう》は不安《ふあん》げなままだ。

「だったら僕《ぼく》と一緒《いっしょ》に警察署《けいさつしょ》まで歩《ある》くかい？　ここからそんなに遠《とお》くないし、気分直《きぶんなお》しに景色《けしき》でも眺《なが》めながら…」

道脇《みちわき》が提案《ていあん》すると、園子《そのこ》の顔《かお》がぱっと輝《かがや》いた。

「は、はい…」

「しかしまた狙《ねら》われでもしたら…それに園子《そのこ》さんは茶髪《ちゃぱつ》！　例《れい》の事件《じけん》と同一犯《どういつはん》の可能性《かのうせい》もありますし…」

道脇《みちわき》と歩《ある》いていこうとする園子《そのこ》に、横溝警部《よこみぞけいぶ》があわてて声《こえ》をかける。

「大丈夫《だいじょうぶ》！　白昼堂々《はくちゅうどうどう》と襲《おそ》って来《く》る奴《やつ》なんていやしませんよ！」

道脇《みちわき》が軽《かる》い調子《ちょうし》で答《こた》えると、園子《そのこ》も、「いざとなったら蘭《らん》もいるしね！」と明《あか》るく言《い》った。

園子《そのこ》と蘭《らん》、道脇《みちわき》、そしてコナンは、徒歩《とほ》で警察署《けいさつしょ》へと向《む》かうことになった。

「しかしま――…昨夜《ゆうべ》の旅館《りょかん》といい、さっきの車《くるま》といい…よく狙《ねら》われる娘《こ》だね、君《きみ》は…」

林《はやし》に面《めん》した脇道《わきみち》を歩《ある》きながら、道脇《みちわき》がしみじみと言《い》う。

「園子《そのこ》…ホントに心当《こころあ》たりないの？」

蘭《らん》に聞《き》かれ、園子《そのこ》は「ううん、全然《ぜんぜん》…」と首《くび》をふった。

「それだけ君《きみ》が魅力的《みりょくてき》って事《こと》かな？」

道脇《みちわき》が、甘《あま》いセリフを吐《は》いて園子《そのこ》を喜《よろこ》ばせる一方《いっぽう》、コナンは園子《そのこ》が狙《ねら》われ続《つづ》ける理由《りゆう》についてずっと考《かんが》えていた。

(そう…なんで園子《そのこ》は狙《ねら》われたんだ？　それに命《いのち》を狙《ねら》うならなんで車《くるま》のドアをこじ開《あ》けた時《とき》に殺《ころ》さなかったんだ？　わざわざ車《くるま》を転《ころ》がしてガケ下《した》に落《お》とすなんて方法《ほうほう》を取《と》る必要《ひつよう》はないのに…)

犯人《はんにん》が、まわりくどい方法《ほうほう》を取《と》ったことが、コナンにはどうしても不可解《ふかかい》だった。

「でも、そのまま帰《かえ》る様《よう》に車《くるま》に荷物積《にもつつ》んでたから、みんな燃《も》えちゃったね…」

蘭《らん》が事故《じこ》のことを思《おも》い出《だ》して言《い》うと、園子《そのこ》はうんざりしたように天《てん》を仰《あお》いだ。

「――ったく、なんでこんな目《め》に遭《あ》わなきゃいけないのよ！」

「君《きみ》らはまだいいよ」

道脇《みちわき》は、なだめるように言《い》った。

「僕《ぼく》は車《くるま》もだぜ？　まあ、君《きみ》が撮《と》った思《おも》い出《で》の写真《しゃしん》に比《くら》べればマシか…写真《しゃしん》は買《か》いかえられないから…」

「結局残《けっきょくのこ》ったのは例《れい》の一枚《いちまい》だけ…」

がっかりして言《い》う園子《そのこ》に、蘭《らん》が「例《れい》のって…？」と怪訝《けげん》そうに聞《き》く。

園子《そのこ》はニヤリと目《め》を細《ほそ》めた。

「ホラ、新一君《しんいちくん》に見《み》せるあの写真《しゃしん》♡　肌身離《はだみはな》さず持《も》ってるから安心《あんしん》して!!」

「ちょ、ちょっとー!!」

蘭《らん》の顔《かお》が、真《ま》っ赤《か》になる。

荷物《にもつ》はほとんど燃《も》えてしまったというのに、水着《みずぎ》を直《なお》す蘭《らん》のお尻《しり》のアップ写真《しゃしん》だけは、園子《そのこ》が肌身離《はだみはな》さず持《も》っていたのだ。

二人《ふたり》の会話《かいわ》を聞《き》いて、コナンは（そうか、写真《しゃしん》だ!!）とピンと来《き》ていた。

（やっぱり犯人《はんにん》の目的《もくてき》は写真《しゃしん》の隠滅《いんめつ》だったんだ…だから車《くるま》ごと園子《そのこ》の荷物《にもつ》を…）

犯人《はんにん》が、車《くるま》をこじ開《あ》けたときに園子《そのこ》を殺《ころ》さなかったのは、園子《そのこ》が撮《と》った写真《しゃしん》を車《くるま》と一緒《いっしょ》に隠滅《いんめつ》するためだったのだ。そこまで考《かんが》えて、コナンは（でもわからねー…）と眉《まゆ》をひそめた。

（どーして犯人《はんにん》は、人《ひと》に見《み》られちゃマズイ写真《しゃしん》を園子《そのこ》に撮《と》られたなんて思《おも》ったんだ…？

園子《そのこ》が撮《と》った写真《しゃしん》にはそれらしき物《もの》は一枚《いちまい》もなかったのに…）

その時《とき》、コナンたちの背後《はいご》でザッと足音《あしおと》がした。

「ん？」

ふり返《かえ》れば、中年《ちゅうねん》の男《おとこ》が、いつの間《ま》にかコナンたちの後《うし》ろを歩《ある》いている。

（あれ？　あの人《ひと》は…）

同《おな》じ旅館《りょかん》に泊《と》まっている、キャップをかぶった小太《こぶと》りの男《おとこ》だ。

道脇《みちわき》も男《おとこ》に気《き》づいて、「なんか尾《つ》けられているみたいだな…」と園子《そのこ》に耳打《みみう》ちした。

「ええ!?　まさか犯人《はんにん》？」

驚《おどろ》く園子《そのこ》に、道脇《みちわき》が「走《はし》れるかい？」とウィンクして聞《き》く。

「え、ええ…」

「じゃあ、行《い》くぞ!!」

言《い》うなり、道脇《みちわき》は園子《そのこ》の手《て》をつかんでダッと駆《か》け出《だ》し、林《はやし》の中《なか》へと飛《と》びこんだ。蘭《らん》は

「え？」とあっけにとられたが、コナンと一緒《いっしょ》にすぐに二人《ふたり》の後《あと》を追《お》いかけた。

「ちっ…」

キャップの男《おとこ》が、舌打《したう》ちをして追《お》いかけてくる。

林《はやし》の中《なか》は、うっそうと木《き》が生《お》い茂《しげ》って薄暗《うすぐら》く、視界《しかい》が悪《わる》かった。

「こんな林《はやし》に入《はい》ったらかえって危《あぶ》ないですよ!!」

蘭《らん》が、前《まえ》を走《はし》る道脇《みちわき》に向《む》かって言《い》う。

「いや、この方《ほう》がスリルがある…」

道脇《みちわき》は、そう言《い》うと、「だろ？」と園子《そのこ》を見《み》つめた。

「うん！」

園子《そのこ》が、うれしそうにうなずく。

「とにかく二手《ふたて》に分《わ》かれてあの男《おとこ》をまこう…」

道脇《みちわき》の提案《ていあん》で、道脇《みちわき》と園子《そのこ》、蘭《らん》とコナンの二手《ふたて》に分《わ》かれて逃《に》げることになった。

キャップの男《おとこ》が追《お》いかけてきたのは、蘭《らん》とコナンの方《ほう》だ。この男《おとこ》が、園子《そのこ》を襲《おそ》った犯人《はんにん》なのだろうか？

（でも変《へん》だな…あの男《おとこ》が犯人《はんにん》ならなんでまだ園子《そのこ》を狙《ねら》ってんだ？　写真《しゃしん》は焼《や》けちまったの

に…）
走《はし》りながら考《かんが》えこんだコナンの横《よこ》を、電車《でんしゃ》が走《はし》り抜《ぬ》けた。林《はやし》のすぐそばを、線路《せんろ》が通《とお》っているのだ。

（電車《でんしゃ》…？　そういえばここ…昨日《きのう》死体《したい》が発見《はっけん》された林《はやし》だ…おとといオレ達《たち》がこのそばを通《とお》った時《とき》も電車《でんしゃ》が来《き》てたっけ…）

おととい、コナンたちがこの近《ちか》くを通《とお》ったのは、夜《よる》だった。花火大会《はなびたいかい》に行《い》った帰《かえ》り道《みち》で、三人《さんにん》は旅館《りょかん》の浴衣《ゆかた》を着《き》ていた。この辺《あた》りの道《みち》は街灯《がいとう》が少《すく》なく、暗闇《くらやみ》を照《て》らす電車《でんしゃ》のライトはかなり目立《めだ》っていたはずだ。

キャップの男《おとこ》は、必死《ひっし》に蘭《らん》とコナンを追《お》いかけていたが、途中《とちゅう》で見失《みうしな》ってしまった。

「くそっ…見失《みうしな》ったか…」

木《き》に手《て》をついて、ハァハァと息《いき》を荒《あら》くしながら、キャップの男《おとこ》は周囲《しゅうい》を見回《みまわ》した。

と、頭上《ずじょう》から、パラ…と木《こ》の葉《は》が落《お》ちてきた。

「ん？」

次《つぎ》の瞬間《しゅんかん》、木《き》の上《うえ》から、タッと蘭《らん》が飛《と》び降《お》りてきた。

「な!?」

蘭《らん》は、すばやく木《き》に登《のぼ》って、男《おとこ》を待《ま》ち伏《ぶ》せていたのだ。

木《き》の幹《みき》の陰《かげ》から、コナンも姿《すがた》を現《あらわ》した。

「いい加減《かげん》にしなさいよ、あんた!!」

蘭《らん》は、強《つよ》い口調《くちょう》で男《おとこ》に迫《せま》った。

「いつまでも逃《に》げてばかりだと思《おも》ったら大間違《おおまちが》いよ!!」

「お、おい…」

蘭《らん》の勢《いきお》いに圧倒《あっとう》されて、男《おとこ》が後《あと》ずさる。その拍子《ひょうし》に、サンダルを履《は》いた足《あし》に木《き》の枝《えだ》が刺《さ》さってしまい、「いてっ…」と尻《しり》もちをついた。

「そんなサンダルで林《はやし》に入《はい》って来《く》るからよ!」

蘭《らん》があきれたように言《い》う。

(サンダル……?)

コナンは、男《おとこ》の足《あし》に目《め》をやった。男《おとこ》は素足《すあし》に直接《ちょくせつ》サンダルを履《は》いている。

「あなたでしょ? 昨夜旅館《ゆうべりょかん》で園子《そのこ》を襲《おそ》い、さっきも車《くるま》をガケ下《した》に落《お》としたのは!!」

「ちょ、ちょっと待《ま》て…」

うろたえる男《おとこ》の二《に》の腕《うで》をつかみ、蘭《らん》はさらに詰《つ》め寄《よ》った。

「あなたの毛深《けぶか》い腕《うで》がその証拠《しょうこ》！　見《み》せてもらうわよ！　園子《そのこ》が昨夜《ゆうべ》かみついた歯《は》の跡《あと》を!!」

半《はん》ソデを肩《かた》までめくりあげる。

しかし、そこに、歯《は》の跡《あと》らしきものはなかった。

「え？　ウソ…歯形《はがた》がない…」

反対側《はんたいがわ》のソデもまくりあげるが、結果《けっか》は同《おな》じだ。

「こっちの腕《うで》にもない…どーして〰〰っ！　なんなの、あなた!?」

「なんなのって…千葉県警《ちばけんけい》の刑事《けいじ》ですよ！」

そう言《い》って、キャップの男《おとこ》が取《と》り出《だ》した警察手帳《けいさつてちょう》を見《み》て、蘭《らん》の口《くち》があんぐりと開《ひら》いた。

「え〰〰っ!?」

「ちょっとある事件《じけん》の容疑者《ようぎしゃ》を追《お》ってましてね…」

キャップの男《おとこ》は、園子《そのこ》を襲《おそ》った犯人《はんにん》ではなかったのだ。

だとすれば、真犯人《しんはんにん》は——……。

「ねぇ…蘭姉《らんねえ》ちゃん…」

コナンは、千葉県警《ちばけんけい》の刑事《けいじ》に謝《あやま》っている蘭《らん》に、ゆっくりと声《こえ》をかけた。

「サンダル履《は》く時《とき》って普通《ふつう》、靴下《くつした》なんて履《は》かないよね？」

「え、ええ…」

蘭《らん》がうなずく。

真犯人《しんはんにん》を確信《かくしん》したコナンは、「あ、ちょっと…」と蘭《らん》が止《と》めるのも聞《き》かず、ダッと駆《か》け出《だ》した。


園子《そのこ》と道脇《みちわき》は、キャップの男《おとこ》をまいて、二人《ふたり》きりで林《はやし》の中《なか》にいた。

「痛《いた》た…枝《えだ》を踏《ふ》んでしまった…」

道脇《みちわき》が足《あし》を止《と》め、痛《いた》そうに足《あし》をさする。

「やっぱサンダルで林《はやし》に入《はい》るのはマズかったか…」

「大丈夫《だいじょうぶ》ですか？」

園子《そのこ》は心配《しんぱい》しながら、道脇《みちわき》の履《は》いている靴下《くつした》を、くるぶしまで下《お》ろした。すると、すね毛《げ》の生《は》えたふくらはぎに、くっきりとした歯形《はがた》がついている。

「え？　歯形《はがた》⁉」

なぜ、道脇《みちわき》のふくらはぎに歯形《はがた》がついているのだろう？

「……」

園子《そのこ》はおびえた表情《ひょうじょう》で後《あと》ずさった。

「ん？　……」

園子《そのこ》の反応《はんのう》に気《き》づいた道脇《みちわき》は、自分《じぶん》のふくらはぎに目《め》をやり、歯形《はがた》を見《み》られたことに気《き》が付《つ》いて、にこやかに園子《そのこ》の方《ほう》へ歩《あゆ》み寄《よ》った。

「あ…あ…」

後《あと》ずさる園子《そのこ》の背中《せなか》が、木《き》の幹《みき》にぶつかる。

「何《なに》を驚《おどろ》いているんだい？」

「あ…」

「驚《おどろ》く事《こと》なんてないだろ？」

笑《え》みを浮《う》かべていた道脇《みちわき》の顔《かお》が、突然《とつぜん》、真顔《まがお》になる。そして、ポケットから取《と》り出《だ》したナイフを、園子《そのこ》へと向《む》けた。

「これは昨夜《ゆうべ》…君《きみ》がつけた…歯形《はがた》なんだから…」

コナンたちは、林《はやし》の中《なか》を走《はし》って、園子《そのこ》のもとへと向《む》かっていた。

(そうか、そうだったんだ…園子《そのこ》が昨夜《ゆうべ》かみついたのは、二《に》の腕《うで》じゃなくふくらはぎ！暗闇《くらやみ》だから間違《まちが》えたんだ…)

園子《そのこ》を襲《おそ》った男《おとこ》は、道脇《みちわき》だ。

道脇《みちわき》は、この辺《あた》りで起《お》こっている連続殺人事件《れんぞくさつじんじけん》の犯人《はんにん》だったのだ。

二日前《ふつかまえ》に殺《ころ》された女性《じょせい》の犯行現場《はんこうげんば》は、この林《はやし》だ。道脇《みちわき》は、犯行現場《はんこうげんば》の写真《しゃしん》を撮《と》られたと勘違《かんちが》いして園子《そのこ》に近《ちか》づき、写真《しゃしん》を取《と》り返《かえ》そうとしたのだ。

(園子《そのこ》に写真《しゃしん》を撮《と》られたと思《おも》ったのは、恐《おそ》らく電車《でんしゃ》のパンタグラフが時折発《ときおりはっ》する光《ひかり》のせい…犯行時《はんこうじ》に背後《はいご》にそのフラッシュを浴《あ》び、その直後《ちょくご》に林《はやし》のそばをカメラを持《も》って通《とお》る園子《そのこ》を見《み》て勘違《かんちが》いしたんだ…死体《したい》と一緒《いっしょ》にいるところを撮《と》られたって…そういえばあの人《ひと》いってたな…)

コナンは、昨晩《さくばん》、道脇《みちわき》が園子《そのこ》に言《い》ったセリフを思《おも》い出《だ》した。

「君《きみ》は何《なに》を着《き》ても魅力的《みりょくてき》だよ…もちろん浴衣《ゆかた》も水着《みずぎ》もね！」

(園子《そのこ》が浴衣《ゆかた》を着《き》たのはおとといの花火《はなび》の時《とき》だけ…昨日《きのう》初《はじ》めて会《あ》ったあの人《ひと》が浴衣姿《ゆかたすがた》を見《み》てるわけがない!!　くそなんで…なんでもっと早《はや》く気《き》づかなかったんだ!!)

後悔《こうかい》の念《ねん》にかられながら、コナンは園子《そのこ》のもとへ急《いそ》いだ。


道脇《みちわき》に馬乗《うまの》りされて、園子《そのこ》は、地面《じめん》の上《うえ》に押《お》さえつけられていた。

「いやあああ!!」

ジタバタと暴《あば》れる園子《そのこ》の口《くち》をふさぐと、道脇《みちわき》は、低《ひく》い声《こえ》ですごんだ。

「さあ出《だ》しな、写真《しゃしん》を…どっかの探偵《たんてい》に見《み》せようとしていた例《れい》の写真《しゃしん》をよォ…」

道脇《みちわき》が握《にぎ》りしめたナイフの刃《は》が、きらりと光《ひか》る。さっきまで優《やさ》しかった道脇《みちわき》の豹変《ひょうへん》ぶりに、園子《そのこ》は、目《め》に涙《なみだ》を浮《う》かべていた。

「どーせ、アベックのラブシーンでも撮《と》ったつもりだろーが…あれは殺人《さつじん》シーンだ!!　女《おんな》のハラワタをナイフでえぐってる写真《しゃしん》なんだよ!!」

蘭《らん》と、千葉県警《ちばけんけい》の刑事《けいじ》も、コナンと一緒《いっしょ》に園子《そのこ》を捜《さが》して、林《はやし》の中《なか》を走《はし》っていた。

刑事《けいじ》によれば、道脇《みちわき》は、すでに四人《よにん》もの女性《じょせい》を殺害《さつがい》している可能性《かのうせい》が高《たか》いという。

「よ、四人《よにん》？　あの道脇《みちわき》さんが四人《よにん》の人《ひと》を…？」

「昨日《きのう》の仏《ほとけ》さんも奴《やつ》の仕業《しわざ》ならたぶん四人目《よにんめ》だ！　なぜか茶髪《ちゃぱつ》の女《おんな》ばかり…前々《まえまえ》から奴《やつ》には目《め》をつけていて、車泥《くるまどろ》の別件《べっけん》で一度《いちど》パクったんだが殺人《さつじん》に関《かん》しては証拠不十分《しょうこふじゅうぶん》…この伊《い》豆《ず》で似《に》た様《よう》な事件《じけん》が起《お》こったんで張《は》ってたら、案《あん》の定《じょう》、奴《やつ》が姿《すがた》を見《み》せやがった…。もう殺《さつ》人《じん》をやらかした後《あと》だったがな…」

それほどの凶悪犯《きょうあくはん》が、林《はやし》の中《なか》で園子《そのこ》と一緒《いっしょ》にいるなんて……。

蘭《らん》の顔《かお》から、血《ち》の気《け》が引《ひ》いた。早《はや》く二人《ふたり》を見《み》つけなければ、園子《そのこ》が五人目《ごにんめ》の犠牲者《ぎせいしゃ》となってしまう。

「わ、わたし、あっちの方《ほう》探《さが》して来《き》ます！」

息切《いきぎ》れして立《た》ち止《ど》まってしまった刑事《けいじ》に声《こえ》をかけ、蘭《らん》は林《はやし》の奥《おく》へと走《はし》っていった。

「おう！　見《み》つけたら大声《おおごえ》出《だ》すんだぞ！」

蘭《らん》に向《む》かってそう叫《さけ》ぶと、刑事《けいじ》は「しかしわからねぇ…」と悔《くや》しげにつぶやいた。

「奴《やつ》は、レストランにずっといたのに、なんで車《くるま》が勝手《かって》に動《うご》いたんだ？」

「氷《こおり》だよ…」

刑事《けいじ》の疑問《ぎもん》の答《こた》えたのは、コナンだ。

「え？」

「きっとあの人《ひと》、クーラーボックスに入《い》れてたクサビ形《がた》の氷《こおり》を左《ひだり》フロントタイヤの下《した》にかませ、車内《しゃない》の園子《そのこ》に声《こえ》を掛《か》けるふりをして、サイドブレーキを下《お》ろしたんだ！　捜査《そうさ》をかく乱《らん》するために、わざとロック開《あ》けの道具《どうぐ》を路上《ろじょう》に落《お》としてね…」

「なるほど…」

コナンの推理《すいり》に、刑事《けいじ》が納得《なっとく》したようにうなずいた。

「奴《やつ》が駐車《ちゅうしゃ》スペースを空《あ》けて車《くるま》を停《と》めてたのは、車《くるま》が動《うご》き出《だ》す方向《ほうこう》に駐車《ちゅうしゃ》されるのを防《ふせ》ぐため…しかも、クーラーをかければエンジンが高熱《こうねつ》を発《はっ》し、氷《こおり》はみるみるうちに溶《と》け、後《あと》で調《しら》べられてもクーラーから垂《た》れた水《みず》にしか見《み》えないってわけか！」

これで、車《くるま》が勝手《かって》に動《うご》き出《だ》したトリックは明《あき》らかになった。だが、動機《どうき》は謎《なぞ》のままだ。

コナンは、ギリッと奥歯《おくば》を噛《か》みしめて、考《かんが》えこんだ。

(でも、なぜだ⁉　なぜ茶髪《ちゃぱつ》の女性《じょせい》ばかりを…)

「ちょっと、アレ‼　園子《そのこ》じゃない⁉」

林《はやし》の奥《おく》から、園子《そのこ》の悲鳴《ひめい》が聞《き》こえてきた。

「なに⁉」

コナンが駆《か》け寄《よ》ると、木々《きぎ》の合間《あいま》から、園子《そのこ》を押《お》さえつける道脇《みちわき》の姿《すがた》が見《み》えた。

(や、やばい‼)


「いったよなァ?　ひどいフラれ方《かた》をしたって…」

道脇《みちわき》は園子《そのこ》の口《くち》をふさぎ、ナイフをちらつかせた。

「だから、だからよォ…おまえの様《よう》なチャラチャラした女《おんな》を見《み》ると、無性《むしょう》にハラワタをえぐってやりたくなるのさァ‼　オレをどん底《ぞこ》に陥《おとしい》れたあいつと同《おな》じ、茶髪《ちゃぱつ》の女《おんな》を見《み》るとなァ!!!」

そう叫《さけ》ぶと、道脇《みちわき》は、ナイフを両手《りょうて》で握《にぎ》りしめてふり上《あ》げた。

園子《そのこ》は身動《みうご》きが取《と》れず、恐怖《きょうふ》のあまり、声《こえ》を出《だ》すこともできない。

（どーして？　なんでなのよ？　わたしにいい寄《よ》る男《おとこ》はこんなのばっか…恨《うら》むよ神様《かみさま》…）

死《し》を覚悟《かくご》して、ぎゅっと目《め》を閉《と》じる。

ズブッ！

ナイフが刺《さ》さる音《おと》と同時《どうじ》に、園子《そのこ》は誰《だれ》かに、頭《あたま》を抱《だ》きかかえられた。

「え？」

ハッとして目《め》を開《ひら》けば、あの眼鏡《めがね》の男《おとこ》が、道脇《みちわき》と園子《そのこ》の間《あいだ》に身体《からだ》を割《わ》りこませている。

眼鏡《めがね》の男《おとこ》は、自分《じぶん》の左足《ひだりあし》を園子《そのこ》の背中《せなか》の下《した》にすべりこませてクッションにし、同時《どうじ》に右《みぎ》足《あし》で道脇《みちわき》を押《お》しのけていた。園子《そのこ》をかばうようにして上《あ》げた右腕《みぎうで》には、道脇《みちわき》が突《つ》き立《た》てたナイフが深々《ふかぶか》と刺《さ》さっていたが、眼鏡《めがね》の男《おとこ》は全《まった》くひるまず、そのまま道脇《みちわき》に肘鉄《ひじてつ》を食《く》らわせた。

道脇《みちわき》が、すごい勢《いきお》いで後《うし》ろに吹《ふ》っ飛《と》ぶ。

「大丈夫《だいじょうぶ》ですか？」

眼鏡《めがね》の男《おとこ》が、園子《そのこ》の顔《かお》をのぞきこんだ。

「だ、大丈夫《だいじょうぶ》ってあなたの方《ほう》が…」

わけがわからず、園子《そのこ》は驚《おどろ》いて、眼鏡《めがね》の男《おとこ》を見《み》つめ返《かえ》した。

眼鏡《めがね》の男《おとこ》の右腕《みぎうで》にはナイフが刺《さ》さり、血《ち》がたらたらと筋《すじ》になって流《なが》れているのだ。

「ああ…これですか…」

眼鏡《めがね》の男《おとこ》が、ナイフを抜《ぬ》こうと、柄《え》に手《て》を伸《の》ばす。その背後《はいご》から、太《ふと》い木《き》の枝《えだ》を握《にぎ》りしめた道脇《みちわき》が、逆上《ぎゃくじょう》して殴《なぐ》りかかろうとしていた。

ガッ！

道脇《みちわき》は、木《き》の枝《えだ》を下《した》からふり上《あ》げた。しかし、眼鏡《めがね》の男《おとこ》は、ふりむきざまにスッとすばやく身《み》を引《ひ》いたので、眼鏡《めがね》が弾《はじ》き飛《と》ばされただけだった。

分厚《ぶあつ》い眼鏡《めがね》の下《した》に隠《かく》れていた素顔《すがお》は、まっすぐなまなざしを持《も》つ好青年《こうせいねん》だ。寡黙《かもく》に道脇《みちわき》をにらみつけるその表情《ひょうじょう》は、静《しず》かな覇気《はき》に満《み》ち、まるで武人《ぶじん》のようなたたずまいだ。


「あ――思《おも》い出《だ》した!!」

園子《そのこ》たちのもとへと走《はし》りながら、蘭《らん》が突然《とつぜん》叫《さけ》んだ。

「え？」

きょとんとするコナンの方《ほう》をふり返《かえ》り、蘭《らん》は早口《はやくち》に続《つづ》けた。

「あの眼鏡《めがね》の人《ひと》、どこかで見《み》たと思《おも》ったら…試合《しあい》の会場《かいじょう》よ！」

「はぁ？」

試合《しあい》の会場《かいじょう》と聞《き》いて、コナンがますます怪訝《けげん》そうになる。

蘭《らん》が眼鏡《めがね》の男《おとこ》を見《み》たのは、空手部《からてぶ》の都大会《とたいかい》でのことだ。記憶《きおく》がよみがえり、蘭《らん》は、青年《せいねん》の呼《よ》び名《な》と本名《ほんみょう》をゆっくりと叫《さけ》んだ。

「杯戸高校空手部主将《はいどこうこうからてぶしゅしょう》…蹴撃《しゅうげき》の貴公子《きこうし》…京極真《きょうごくまこと》!!!」


道脇《みちわき》は興奮《こうふん》して、ぶんぶんと枝《えだ》をふり回《まわ》し、京極《きょうごく》に襲《おそ》いかかった。しかし京極《きょうごく》は、道脇《みちわき》の動《うご》きを冷静《れいせい》に見極《みきわ》め、すばやい身《み》のこなしで難《なん》なくかわしてしまう。あっという間《ま》に間《ま》合《あ》いを詰《つ》めた京極《きょうごく》は、ゴッと道脇《みちわき》の頬《ほお》に膝蹴《ひざげ》りを食《く》らわせた。

続《つづ》けざまに下《した》あごを蹴《け》り上《あ》げる。

そして最後《さいご》に、トドメとばかり、いきおいよくふり上《あ》げた左足《ひだりあし》を道脇《みちわき》の横面《よこつら》にたたきこんだ。

完全《かんぜん》に意識《いしき》を失《うしな》った道脇《みちわき》が、ドッと地面《じめん》に倒《たお》れこむ。

「まったく…危《あぶ》なっかしい人《ひと》だ…」

京極《きょうごく》は、園子《そのこ》を背中《せなか》にかばったまま、右腕《みぎうで》に刺《さ》さったナイフを抜《ぬ》いた。

「私《わたし》の様《よう》な暇人《ひまじん》が…たまたまそばにいたからいい様《よう》なものの…」

「ひ、暇人《ひまじん》って…」

どうしてこの人《ひと》が、ここにいるのだろうか。

園子《そのこ》は、あっけにとられたまま、京極《きょうごく》の背中《せなか》を見《み》つめた。

「もしかしてずっとわたしの事《こと》を…」

「ええ…ずっと後《あと》を尾《つ》けていましたよ！　林《はやし》で見失《みうしな》うまでは…ストーカー呼《よ》ばわりされるのを覚悟《かくご》の上《うえ》でね…」

京極《きょうごく》は、抜《ぬ》いたナイフをドスッと地面《じめん》にさすと、しゃがみこんで道脇《みちわき》の顔《かお》をのぞきこんだ。

「この男《おとこ》はあなたに会《あ》う前《まえ》にも二《に》、三人《さんにん》の女性《じょせい》に声《こえ》を掛《か》けていたんで、ちょっと心配《しんぱい》だったんですよ…」

「ど、どーしてわたしを？　知《し》り合《あ》いでもないのに…」

とまどう園子《そのこ》に、京極《きょうごく》は丁寧《ていねい》な口調《くちょう》で説明《せつめい》した。

「あなたは知《し》らないでしょうけど、私《わたし》はあなたを一度空手《いちどからて》の試合会場《しあいかいじょう》で見《み》ているんです…必死《ひっし》で友人《ゆうじん》を応援《おうえん》するあなたの姿《すがた》をね…まさかウチに宿《やど》をとられるとは思《おも》ってもいませんでしたけど…」

確《たし》かに、園子《そのこ》は蘭《らん》が試合《しあい》に出《で》るたびに、毎回応援《まいかいおうえん》に行《い》っている。しかし、男子《だんし》の試合《しあい》は見《み》ないので、京極《きょうごく》のことは知《し》らなかった。

その時《とき》、「園子《そのこ》ォ〜〜〜!!」と呼《よ》びながら、蘭《らん》が駆《か》け寄《よ》ってきた。

「蘭《らん》！」

園子《そのこ》が、ほっとしたように蘭《らん》たちの方《ほう》をふり返《かえ》る。

コナンと刑事《けいじ》も一緒《いっしょ》だ。

「あ、それと…」

背中《せなか》を向《む》けたまま、声色《こわいろ》にわずかに照《て》れをにじませて、京極《きょうごく》は続《つづ》けた。

「必要以上《ひつよういじょう》に男《おとこ》を挑発《ちょうはつ》するその下着《したぎ》の様《よう》な格好《かっこう》も、できればやめるのをお勧《すす》めしたい…」

園子《そのこ》の今日《きょう》の服装《ふくそう》はキャミソールのワンピースだ。肩《かた》が大《おお》きく出《で》ているし、丈《たけ》も短《みじか》いので、全体的《ぜんたいてき》にかなり露出《ろしゅつ》が多《おお》い。そういえば京極《きょうごく》は、宿《やど》でも「こんな時間《じかん》ヘソを出《だ》した格好《かっこう》をしているあなたもあなただ…」と、園子《そのこ》の服装《ふくそう》に苦言《くげん》を呈《てい》していた。

「もちろん、あなたに好意《こうい》を寄《よ》せる幾多《いくた》の男《おとこ》の内《うち》の一人《ひとり》の戯言《ざれごと》として、聞《き》き流《なが》していただいても構《かま》いませんが…」

そう言《い》って、京極《きょうごく》がちらりと園子《そのこ》の方《ほう》を見《み》る。

その横顔《よこがお》は武骨《ぶこつ》で凛々《りり》しく、意志《いし》の強《つよ》さにあふれている。まっすぐな瞳《ひとみ》に見《み》つめられ、園子《そのこ》はポワワーンと完全《かんぜん》に心《こころ》を奪《うば》われてしまった。


連続殺人事件《れんぞくさつじんじけん》の犯人《はんにん》だった道脇《みちわき》は、無事《ぶじ》に警察《けいさつ》に逮捕《たいほ》された。

そして園子《そのこ》は、東京《とうきょう》に戻《もど》ってからも京極《きょうごく》と連絡《れんらく》を取《と》り続《つづ》けた。このまま、順調《じゅんちょう》に交際《こうさい》へと発展《はってん》するかに思《おも》われた、が……。

「え――！　京極《きょうごく》さん外国《がいこく》に留学《りゅうがく》しちゃったの――？」

蘭《らん》は園子《そのこ》から、京極《きょうごく》が日本《にほん》を発《た》ったと聞《き》かされて、驚《おどろ》いて声《こえ》を上《あ》げた。

「どうして？　あなた達《たち》、あの後《あと》いい感《かん》じだったじゃない!?」

「日本《にっぽん》にはもう強《つよ》い奴《やつ》がいないから、武者修行《むしゃしゅぎょう》に行《い》って来《く》るって…」

園子《そのこ》は残念《ざんねん》そうに肩《かた》を落《お》としていたが、すぐに気《き》を取《と》り直《なお》して、「でも、いいの……」

と、うっとりした目《め》つきになって宙《ちゅう》を見《み》つめた。

「わたし待《ま》ってる…ずっと待《ま》ってるからね、真《まこと》さん…」

園子《そのこ》は、外国《がいこく》へ行《い》った京極《きょうごく》を、一途《いちず》に思《おも》い続《つづ》けることにしたようだ。園子《そのこ》のけなげな決《けっ》心《しん》に、感動《かんどう》した蘭《らん》だったが……。

その三日後《みっかご》。

「蘭《ら》ァーん！　ホラ、観《み》に行《い》くよ、野球部《やきゅうぶ》の練習試合《れんしゅうじあい》!!」

園子《そのこ》は、朝《あさ》っぱらから気合《きあい》の入《はい》ったへそ出《だ》しのキャミソール姿《すがた》で、蘭《らん》を誘《さそ》いに毛利探偵《もうりたんてい》事務所《じむしょ》へとやって来《き》た。

「相手高校《あいてこうこう》の一年《いちねん》エース、カワイクて超《ちょう》イケてるって評判《ひょうばん》よー♡」

「もぉ…京極《きょうごく》さんを待《ま》ってるんじゃなかったの？」

蘭《らん》にあきれたように言《い》われ、園子《そのこ》は満面《まんめん》の笑《え》みでこたえた。

「アレはアレ！　コレはコレよ!!」

ちょうど起《お》きてきたコナンは、うきうきと楽《たの》しそうな園子《そのこ》の姿《すがた》を見《み》て、（やっぱりな…）と内心《ないしん》でつぶやき、ふぁ、と大《おお》きなあくびをしたのだった。

園《その》子《こ》の赤《あか》いハンカチ

DETECTIVE CONAN

MAKOTO KYŌGOKU SELECTION

秋《あき》。

園子《そのこ》の発案《はつあん》で、蘭《らん》とともに紅葉狩《もみじが》りへとやって来《き》たコナンは、なぜか木《き》に登《のぼ》らされていた。

「どう？　コナン君《くん》…あった？　園子《そのこ》のハンカチ！」

「赤《あか》いのよ、赤《あか》いの!!」

蘭《らん》と園子《そのこ》が、下《した》から見上《みあ》げてしきりに声《こえ》をかける。

「ないよ、どこにも…」

伸《の》びた枝《えだ》の先《さき》へと視線《しせん》を巡《めぐ》らせながら、コナンが答《こた》える。

園子《そのこ》は首《くび》をひねった。

「おっかしいなぁ…風《かぜ》で飛《と》ばされて、その木《き》にひっかかったように見《み》えたんだけど…」

「あ！」

コナンが急《きゅう》に声《こえ》を上《あ》げたので、園子《そのこ》は驚《おどろ》いて顔《かお》を上《あ》げた。

「え？　あったの？」

「う、うん…あるにはあったけど…」

コナンが見《み》つけたのは、確《たし》かに赤《あか》いハンカチだった。ただし、両端《りょうたん》がきゅっと結《むす》ばれて、木《き》の枝《えだ》にしっかりと縛《しば》りつけられている。

(風《かぜ》で飛《と》ばされたハンカチが勝手《かって》に枝《えだ》に結《むす》び付《つ》くわけね——よな…)

「ちょっとあったの？　なかったの？　はっきりしなさいよ——！」

イラついて声《こえ》をかける園子《そのこ》に、蘭《らん》が「ね、ねえ…」と声《こえ》をかけた。

「もしかして今《いま》、園子《そのこ》が踏《ふ》んでるのって…」

「え？」

視線《しせん》を下《さ》げれば、ブーツを履《は》いた園子《そのこ》の足《あし》が、散《ち》り積《つ》もった紅葉《もみじ》の上《うえ》に落《お》ちた赤《あか》いハンカチを踏《ふ》んづけていた。

「あ、あった——!!」

園子《そのこ》は大喜《おおよろこ》びでハンカチを拾《ひろ》い上《あ》げた。


無事《ぶじ》に赤《あか》いハンカチを見《み》つけ、園子《そのこ》は蘭《らん》とコナンと一緒《いっしょ》に、山《やま》の奥《おく》へと進《すす》んでいった。

どこもかしこも、葉《は》が真《ま》っ赤《か》に色《いろ》づいている。

「で？　そろそろ教《おし》えてくれない？　急《きゅう》に紅葉狩《もみじが》りに行《い》こうって言《い》ったわけ…」

蘭《らん》が聞《き》くと、園子《そのこ》は手《て》に持《も》った赤《あか》いハンカチをヒラヒラとふってみせた。

「あら…この赤《あか》いハンカチ見《み》てもわからない？」

「全然《ぜんぜん》…」

「じゃあタイトルぐらいは知《し》ってるよね？『冬《ふゆ》の紅葉《もみじ》』！」

園子《そのこ》が言《い》うと、蘭《らん》はようやくピンと来《き》て、「あ──っ！」と声《こえ》を上《あ》げた。

「それって去年《きょねん》流行《はや》ったっていう超《ちょう》ラブラブのＴＶ《テレビ》の連《れん》ドラね！」

「観《み》てなかったの？　あんたもこういうの好《す》きでしょ？」

「う、うん…でも裏《うら》で沖野《おきの》ヨーコの歌番組《うたばんぐみ》やっててお父《とう》さんがビデオに録《と》りながら観《み》てたから…」

蘭《らん》が苦笑《にがわら》いで言《い》う。毛利小五郎《もうりこごろう》は、アイドル歌手《かしゅ》の沖野《おきの》ヨーコが大好《だいす》きで、彼女《かのじょ》が出演《しゅつえん》する番組《ばんぐみ》はかかさず録画《ろくが》しているのだ。

「それで？　そのドラマは赤《あか》いハンカチとどーいう関係《かんけい》があるの？」

「まぁ、ガキンチョには言《い》ったってわからないと思《おも》うけど、教《おし》えてやるか！」

コナンに聞《き》かれ、園子《そのこ》はえらそうに語《かた》りだした。

「時代《じだい》は、戦争《せんそう》が暗《くら》い影《かげ》を落《お》とす昭和《しょうわ》の初《はじ》め！　ある資産家《しさんか》の令嬢《れいじょう》と若《わか》き将校《しょうこう》とのラブロマンスよ！　紅葉《もみじ》の木《き》にひっかかった令嬢《れいじょう》のハンカチを将校《しょうこう》が取《と》ってあげたのが二人《ふたり》の出会《であ》い…その後《あと》、相思相愛《そうしそうあい》になった二人《ふたり》の仲《なか》を妬《ねた》んだ悪《わる》い上官《じょうかん》に、将校《しょうこう》が謂《い》われのない濡《ぬ》れ衣《ぎぬ》をきせられて逃亡《とうぼう》する羽目《はめ》になり、行方《ゆくえ》知《し》れずに…そして戦争《せんそう》が終局《しゅうきょく》を迎《むか》える頃《ころ》…彼《かれ》から令嬢宛《れいじょうあて》に電報《でんぽう》が届《とど》くのよ…『初空《はつぞら》の紅葉《もみじ》の下《した》で待《ま》つ』ってね！」

「でも…初空《はつぞら》って元日《がんじつ》の朝《あさ》の空《そら》の事《こと》だよね？　冬《ふゆ》になると紅葉《もみじ》は散《ち》っちゃって…」

蘭《らん》に指摘《してき》され、園子《そのこ》は「そう…」とうなずいた。

「その令嬢《れいじょう》も、その場所《ばしょ》が二人《ふたり》の出会《であ》った紅葉《もみじ》の山《やま》だって事《こと》はわかったんだけど…それがどこだかわからなくて、雪降《ゆきふ》る山《やま》の中《なか》をたった一人《ひとり》で探《さが》し回《まわ》るの…でも当然山《とうぜんやま》は枯《か》れ木《き》ばかり…。『初空《はつぞら》の紅葉《もみじ》』とは有《あ》り得《え》ない事《こと》のたとえ…もう二度《にど》と会《あ》えないから待《ま》たないでくれっていう意味《いみ》だったんだとあきらめて帰《かえ》ろうとした時《とき》に…見《み》つけるのよ!!　白《しろ》い雪景色《ゆきげしき》の中《なか》の枯《か》れた木《き》の枝《えだ》に結《ゆ》わえ付《つ》けられた…この真《ま》っ赤《か》なハンカチをね!!」

そう言《い》って、園子《そのこ》が、持参《じさん》した赤《あか》いハンカチを蘭《らん》に見《み》せる。

蘭《らん》は「わ〜〜〜〜っ♡」ときめいた声《こえ》を上《あ》げた。

「そしてその木《き》の下《した》で再会《さいかい》した二人《ふたり》は、そのまま駆《か》け落《お》ちして、めでたしめでたし！」

ドラマのあらすじを締《し》めくくると、園子《そのこ》ははしゃいだ口調《くちょう》で続《つづ》けた。

「その将校《しょうこう》が強《つよ》くて色黒《いろぐろ》で喋《しゃべ》り方《かた》も朴訥《ぼくとつ》でかっこよくってさ――！」

「京極《きょうごく》さんみたいに？」

蘭《らん》が聞《き》くと、園子《そのこ》は「そうそう！」とうれしそうにうなずいた。

「この前《まえ》、DVD《ディーブイディー》観返《みかえ》してたらはまっちゃったのよ！　まるで私《わたし》と真《まこと》さんじゃなーいってね!!　んで、そのドラマのロケ地《ち》だったこの山《やま》に私《わたし》もハンカチを付《つ》けに来《き》たってわけ！」

「そっか！　京極《きょうごく》さんに会《あ》えるようにって事《こと》ね！　でもそんなの勝手《かって》に付《つ》けたら怒《おこ》られない？」

「大丈夫《だいじょうぶ》よ！　一枚《いちまい》ぐらい付《つ》けたってわからないって！」

楽観的《らっかんてき》に言《い》う園子《そのこ》に、前《まえ》を歩《ある》くコナンが「いや…わかると思《おも》うよ…」とシラけた口調《くちょう》で水《みず》を差《さ》した。

「え？」

コナンの方《ほう》に顔《かお》を向《む》けた園子《そのこ》の表情《ひょうじょう》が、驚《おどろ》きに変《か》わる。

行《ゆ》く手《て》に立《た》つ紅葉《こうよう》した木々《きぎ》の、枝《えだ》という枝《えだ》に、おびただしい数《かず》の赤《あか》いハンカチが結《むす》び付《つ》けられていたのだ。

「ちょ…ちょっと…何《なん》なのよ⁉　赤《あか》いハンカチだらけじゃない⁉」

園子《そのこ》はわけがわからず、ぎょっとして叫《さけ》んだ。

「もしかして、ここってドラマのそのシーンで使《つか》われた場所《ばしょ》？」

蘭《らん》が聞《き》くと、園子《そのこ》は「うん…」とうなずいて、木《き》の手前《てまえ》にある大《おお》きな岩《いわ》を見《み》つめた。

「ラストでこの大《おお》きな岩《いわ》を背《せ》にして将校《しょうこう》が待《ま》ってたから…」

（つまり、同《おな》じ事《こと》を考《かんが》える奴《やつ》は他《ほか》にも大勢《おおぜい》いたってわけね…）

コナンは納得《なっとく》して、ハンカチだらけの木々《きぎ》を見上《みあ》げた。

「どうしよう…」

園子《そのこ》はうつむき、途方《とほう》にくれてつぶやいた。

「私《わたし》、真《まこと》さんにメール出《だ》しちゃったよ…『今年《ことし》のイヴイヴ　冬《ふゆ》の紅葉《もみじ》の下《した》で待《ま》ってます』って…」

「──ったく、園子《そのこ》好《す》きだねぇ…そういう謎《なぞ》めいたメール送《おく》るの…」

あきれまじりに言《い》う蘭《らん》は、「でも会《あ》えるわよ！」と明《あか》るく続《つづ》けた。

「こんなにハンカチが付《つ》いてるんだからこの辺《へん》で待《ま》ってれば…」

「私《わたし》のハンカチの下《した》に来《き》てくれなきゃ意味《いみ》ないの!!」

「そーいえばボク、見《み》つけたよ！」

言《い》い合《あ》う蘭《らん》と園子《そのこ》に、コナンが口《くち》をはさむ。

「さっきボクが登《のぼ》った木《き》の枝《えだ》に…赤《あか》いハンカチが結《ゆ》わえ付《つ》けられているのをね!!」

園子《そのこ》は絶望《ぜつぼう》した表情《ひょうじょう》になって、「うそ…」とうめいた。

「あそこってここからかなり離《はな》れてたじゃない!?　もしもこの山中《やまじゅう》の紅葉《もみじ》の枝《えだ》に付《つ》けられてるとしたら…真《まこと》さん、どこで待《ま》ってればいいのよ!?」

(その前《まえ》にあの格闘男《かくとうおとこ》が『冬《ふゆ》の紅葉《もみじ》』でこの場所《ばしょ》がわかるかどうかが問題《もんだい》だよな…)

コナンは内心《ないしん》でつぶやいた。硬派《こうは》で実直《じっちょく》な京極《きょうごく》が、恋愛《れんあい》ドラマを見《み》ているとはとても思《おも》えない。しかし、園子《そのこ》はあきらめきれないようで、

「よーーし、こーーなったら…蘭《らん》！　手伝《てつだ》って!!」

「え？」

勢《いきお》いよく叫《さけ》ぶと、いきなり木《き》の幹《みき》にしがみついた。

「この山《やま》の全《すべ》ての赤《あか》いハンカチを取《と》り除《のぞ》くのよ!!」

「え〜〜〜〜っ!?」

園子《そのこ》は、ミニスカートをものともせず、木登《きのぼ》りを始《はじ》めた。手近《てぢか》のハンカチから、手当《てあ》たり次第《しだい》にほどこうとする。

そんな園子《そのこ》に、「ゴメンゴメン…」と声《こえ》をかけてきた男《おとこ》がいた。

「僕《ぼく》のせいでこんな事《こと》になっちゃって…」

「い？」

自分《じぶん》の赤《あか》いハンカチを口《くち》にくわえたまま、園子《そのこ》がふり返《かえ》る。するとそこには、ニット帽《ぼう》をかぶった男《おとこ》が「あれ？」と首《くび》をかしげて立《た》ってた。

「紅葉狩《もみじが》りを台無《だいな》しにするそのハンカチを取《と》り除《のぞ》いていたんだろ？」

「え、ええ…まあ…」

ハンカチを取《と》り除《のぞ》こうとしていた理由《りゆう》は少《すこ》し違《ちが》うのだが、園子《そのこ》はあいまいにうなずいてごまかした。

「そ、それより僕《ぼく》のせいって事《こと》は…」

「もしかして冬《ふゆ》の紅葉《もみじ》の原作者《げんさくしゃ》さん？」

蘭《らん》と園子《そのこ》が、期待《きたい》したまなざしを向《む》ける。

「あ、いや…僕《ぼく》はただのＡＤ《エーディー》…脚本家《きゃくほんか》の人《ひと》に、ドラマで使《つか》える紅葉《もみじ》がきれいな山《やま》はないかと聞《き》かれて、この山《やま》を紹介《しょうかい》したんだ…ここは僕《ぼく》の田舎《いなか》で、小《ちい》さい頃《ころ》よく遊《あそ》んだ山《やま》だからね…」

男《おとこ》は、周囲《しゅうい》に広《ひろ》がる紅葉《こうよう》した木々《きぎ》を誇《ほこ》らしげに見回《みまわ》した。

「そしてそのロケハン中《ちゅう》に、紅葉《もみじ》の木《き》の枝《えだ》に赤《あか》いハンカチが結《ゆ》わえ付《つ》けられているのを僕《ぼく》が見《み》つけて…これは使《つか》えるって、脚本家《きゃくほんか》の人《ひと》があういう話《はなし》に書《か》き換《か》えたってわけさ！　そうしたら大《だい》ブームになっちゃって、勝手《かって》にキャンプする人《ひと》や枝《えだ》に赤《あか》いハンカチを付《つ》ける人《ひと》とかがたくさん来《き》て…この山《やま》の持《も》ち主《ぬし》に怒《おこ》られちゃったよ！　『ワシの山《やま》をハンカチだらけにする気《き》か！』ってね…」

悪《わる》びれずに話《はな》す男《おとこ》に、「ハハ…」とコナンは乾《かわ》いた笑《わら》いを浮《う》かべた。

確《たし》かに、枝《えだ》に結《むす》ばれたハンカチの数《かず》は尋常《じんじょう》ではない。山《やま》の持《も》ち主《ぬし》が怒《おこ》るのも無理《むり》はないだろう。

「まあ、その代《か》わり、客《きゃく》が増《ふ》えたって商店街《しょうてんがい》や旅館《りょかん》の人《ひと》とかには喜《よろこ》ばれてるけど…この辺《へん》は紅葉《もみじ》の時季《じき》しかほとんど人《ひと》が来《こ》なかったからね…」

「へ――…」

蘭《らん》が相《あい》づちを打《う》つ。

男《おとこ》は、目《め》の前《まえ》の大《おお》きな岩《いわ》をぽんぽんとたたいて続《つづ》けた。

「だからTV局《テレビきょく》や町役場《まちやくば》に来る問《と》い合《あ》わせは全《すべ》て僕《ぼく》に回《まわ》されて大変《たいへん》だよ…『あの山《やま》はどこの山《やま》か？』とか…『ラストシーンの場所《ばしょ》に案内《あんない》してくれ』とか…今日《きょう》も、お金《かね》を払《はら》うからって冬《ふゆ》の紅葉《もみじ》のもととなった、ハンカチが付《つ》いていた木《き》がすぐに知《し》りたいっていうファンのために…朝《あさ》から探《さが》し回《まわ》っててもうクタクタさ…」

肩《かた》をすくめる男《おとこ》の額《ひたい》には、汗《あせ》がにじんでいる。確《たし》かに、かなり疲《つか》れているようだ。

「あ、そうだ！　ちょっと言伝《ことづて》を頼《たの》まれてくれないかなぁ？」

男《おとこ》が、蘭《らん》と園子《そのこ》を順番《じゅんばん》に見《み》て聞《き》いた。

「え？」

「そのファンの電話番号《でんわばんごう》、ド忘《わす》れしちゃって…駅前《えきまえ》にある赤樹旅館《あかぎりょかん》のロビーに置《お》いてあるノートに書《か》き込《こ》むだけでいいから…『お探《さが》しの木《き》は見《み》つかりましたからドラマのラストで使《つか》った岩《いわ》のある場所《ばしょ》に来《き》てください』って…本当《ほんとう》はそのファンと今日《きょう》、その旅館《りょかん》で会《あ》う約束《やく》束《そく》だったんだけど…これから山《やま》を下《お》りてその人《ひと》と会《あ》って、案内《あんない》するためにまた登《のぼ》るのはさすがにきついと思《おも》ってね…」

「あ、だったら、そのメッセージにあなたの名前《なまえ》を添《そ》えた方《ほう》が…」

蘭《らん》が言《い》うと、男《おとこ》は「あ、そっか…」とうなずいて、着《き》ていたダウンベストのポケットから手帳《てちょう》を取《と》り出《だ》した。

「僕《ぼく》の名前《なまえ》は…『ホヅミ』！」

そう言《い》って、手帳《てちょう》にカタカナで書《か》かれた自分《じぶん》の名前《なまえ》を指《ゆび》さす。

「カタカナで『ホヅミ』って書《か》いてくれればわかると思《おも》うよ！」

「カ、カタカナでいいの？」

園子《そのこ》がとまどって聞《き》く。

「ああ…その人《ひと》とは電話《でんわ》でしか話《はな》してないから…」

と、男《おとこ》が答《こた》えた。確《たし》かに、電話《でんわ》でしかやり取《と》りをしていないのなら、相手《あいて》はホヅミの名前《なまえ》を音《おと》でしか聞《き》いていないはずなので、漢字《かんじ》で書《か》くと誰《だれ》だかわからなくなってしまうかもしれない。

しかし、ノートの伝言《でんごん》だけで確実《かくじつ》に伝《つた》わるだろうか。心配《しんぱい》そうな園子《そのこ》の表情《ひょうじょう》を見《み》て、男《おとこ》はのんびりと続《つづ》けた。

「でもまあその人《ひと》、あのドラマの大《だい》ファンで何度《なんど》もここに来《き》てるって言《い》ってたし…今朝《けさ》、その旅館《りょかん》にチェックインして首《くび》を長《なが》くして待《ま》ってるっていうメールをもらったから、すぐに伝《つた》わると思《おも》うよ…何《なに》かあったらそのノートに書《か》き込《こ》んでおくって言《い》ってあるしね…」


ニット帽《ぼう》の男《おとこ》が言《い》ったとおり、赤樹旅館《あかぎりょかん》は駅《えき》のすぐ前《まえ》にあった。

「お探《さが》しの木《き》は見《み》つかりました…ドラマのラストで使《つか》った岩《いわ》のある場《ば》所《しょ》に来《き》てください…ホヅミ…っと！」

園子《そのこ》は、ニット帽《ぼう》の男《おとこ》に言《い》われたとおりの言葉《ことば》を、女《おんな》の子《こ》らしい丸《まる》っこい文字《もじ》でノートに書《か》きつけた。

「こんなもんかねえ…」

「うん！　いいんじゃやない？」

蘭《らん》は明《あか》るく言《い》うと、お腹《なか》をさすった。

「じゃあ園子《そのこ》…何《なに》か食《た》べに行《い》かない？　もうペコペコ…」


何《なに》を食《た》べようかと、楽《たの》しげに話《はな》す蘭《らん》たちの様子《ようす》を、柱《はしら》の陰《かげ》からうかがう怪《あや》しい人影《ひとかげ》があった。人影《ひとかげ》は「……」と無言《むごん》で、蘭《らん》たちをじっと見《み》つめている。しかし、蘭《らん》も園子《そのこ》もコナンも、自分《じぶん》たちに注《そそ》がれる怪《あや》しい視線《しせん》に気《き》づかずにいた。

一方《いっぽう》、その頃《ころ》。

ニット帽《ぼう》の男《おとこ》は、一人《ひとり》、紅葉《こうよう》した森《もり》の中《なか》でへたりこんでいた。

ハアハアと荒《あら》い息《いき》をつきながら、木《き》の幹《みき》にもたれかかる。その表情《ひょうじょう》は、まるで恐《おそ》ろしいものを発見《はっけん》したかのようにおびえていた。

かと思《おも》えば――男《おとこ》はふいに、ニヤリと歯《は》を見《み》せて笑《わら》ったのだった。

コナンと蘭《らん》、そして園子《そのこ》は、近《ちか》くのファミリーレストランで夕食《ゆうしょく》を取《と》っていた。

「どうしたの園子《そのこ》…？　さっきからお箸進《はしすす》んでないよ…」

蘭《らん》が、園子《そのこ》の食《しょく》の進《すす》みが遅《おそ》いことに気《き》が付《つ》いて、心配《しんぱい》そうに声《こえ》をかける。

園子《そのこ》は、箸《はし》をくわえたまま「……」と物思《ものおも》いにふけっていたが、やがて、ぐっと前《まえ》のめりになって頬杖《ほおづえ》をついた。

「やっぱ行《い》こっかな――…」

「い、行《い》くってどこに？」

「さっきんトコ…このハンカチ付《つ》けに…」

そう言《い》って、赤《あか》いハンカチをポケットから出《だ》す。

「え？　これから？」

目《め》を丸《まる》くする蘭《らん》の隣《となり》で、コナンはあきれてコーヒーをすすった。

（また始《はじ》まったよ、お嬢様《じょうさま》の気《き》まぐれが…）

「じゃあ蘭《らん》なら平気《へいき》なの？」

園子《そのこ》は、じとっとした目《め》つきで蘭《らん》を見《み》つめて聞《き》いた。

「あなたの赤《あか》い服《ふく》を目印《めじるし》に会《あ》う約束《やくそく》してた新一君《しんいちくん》が…別《べつ》の赤《あか》い服《ふく》のかわいい女《おんな》の子《こ》に釣《つ》られて待《ま》ち合《あ》わせ場所《ばしょ》に来《き》て、偶然《ぐうぜん》あなたと会《あ》い、しかもあなたはうっかり赤《あか》い服《ふく》を着忘《きわす》れてた…なんて事《こと》…この状況《じょうきょう》ってそういう事《こと》だよね？」

（何言《なにい》ってんだ？　コイツ…？）

園子《そのこ》のよくわからないたとえ話《ばなし》に、コナンは心《こころ》の中《なか》で首《くび》をひねった。

しかし、蘭《らん》は「………」と不安《ふあん》げに園子《そのこ》の話《はなし》を聞《き》き、それからいきなり立《た》ち上《あ》がってダンとテーブルに手《て》をついた。

「行《い》こ、園子《そのこ》!! 今《いま》すぐに!!」

「え?」

驚《おどろ》くコナンだが、園子《そのこ》は「うん!!」と力強《ちからづよ》くうなずいた。

(あ…簡単《かんたん》にのせられちゃうのね…)

園子《そのこ》が京極《きょうごく》のことになると冷静《れいせい》でなくなるように、蘭《らん》もまた、新一《しんいち》のことになるとすぐに熱《あつ》くなってしまうのだった。


こうしてコナンは、園子《そのこ》と蘭《らん》とともに、紅葉《こうよう》した山《やま》へと再《ふたた》び戻《もど》る羽目《はめ》になってしまった。

「でもさー…この山《やま》の色《いろ》んな所《ところ》に赤《あか》いハンカチが付《つ》いてるんなら、せっかく付《つ》けてもどれが園子《そのこ》姉《ねえ》ちゃんのハンカチかわからないよ…」

コナンが指摘《してき》すると、園子《そのこ》は「大丈夫《だいじょうぶ》…」と、得意《とくい》げに自分《じぶん》のハンカチを出《だ》した。

「ホラ! 大《おお》きく私《わたし》の名前《なまえ》を入《い》れて幟《のぼり》みたいに添《そ》え木《ぎ》したから!」

園子《そのこ》のハンカチには、油性《ゆせい》ペンで『園子《そのこ》』とデカデカと名前《なまえ》が書《か》かれ、ハンカチの上辺《じょうへん》の部分《ぶぶん》には、木《き》の枝《えだ》がセロハンテープで固定《こてい》されている。

「ハハ…」

(冬《ふゆ》の紅葉《もみじ》もへったくれもねーな…)

情緒《じょうちょ》のない園子《そのこ》のハンカチを見《み》て、コナンは失笑《しっしょう》してしまった。

だんだんと日《ひ》が沈《しず》み始《はじ》め、辺《あた》りは次第《しだい》に暗《くら》くなっている。

三人《さんにん》は、ロケ地《ち》の紅葉《もみじ》の木《き》を目指《めざ》して山《やま》を進《すす》んだ。

「園子《そのこ》ォ…暗《くら》くなってお化《ば》け出《で》そうだよ…」

怖《こわ》がりの蘭《らん》が、不安《ふあん》げに園子《そのこ》の上着《うわぎ》に触《ふ》れた。

「んじゃ急《いそ》ご！　もうすぐだから…」

園子《そのこ》が、山道《やまみち》を進《すす》む足《あし》を速《はや》める。

その時《とき》、コナンは、地面《じめん》の上《うえ》に何《なに》かが落《お》ちていることに気《き》が付《つ》いた。

「ん？」

拾《ひろ》い上《あ》げてみると、手帳《てちょう》だ。『ホヅミ』と名前《なまえ》が書《か》かれている。

「この手帳《てちょう》…さっきのAD《エーディー》さんのだよね？」

「ホントだ…」

「落《お》としたんだね…」

蘭《らん》と園子《そのこ》が、口々《くちぐち》に言《い》って足《あし》を止《と》める。

手帳《てちょう》を拾《ひろ》い上《あ》げたコナンは、たまたま開《ひら》いたページに赤《あか》い染《し》みがあるのに「ん?」と目《め》を留《と》めた。

(カレンダーの所《ところ》に血《ち》が付《つ》いてる…血《ち》の付《つ》いた指《ゆび》でなぞったみてーな…でも何《なん》で4月《がつ》1日《ついたち》? それに何《なん》か濡《ぬ》れてるし…)

「じゃあその手帳《てちょう》は後《あと》で交番《こうばん》に届《とど》けるって事《こと》で…」

「行《い》くよ、コナン君《くん》!」

園子《そのこ》と蘭《らん》が、先《さき》に立《た》って歩《ある》き出《だ》す。

手帳《てちょう》は全体的《ぜんたいてき》に湿《しめ》っていて、しかも裏表紙《うらびょうし》には、血《ち》がべっとりと付《つ》いていた。

(血《ち》…まだ乾《かわ》いてねぇ…まさか!!)

この手帳《てちょう》の持《も》ち主《ぬし》——ホヅミに、何《なに》かあったのかもしれない。

コナンはダッと駆《か》け出《だ》した。

「え? あ、ちょっ…コナン君《くん》!?」

蘭《らん》があわてて後《あと》を追《お》う。

しかし、コナンはすぐに、なにかにつまずいて転《ころ》んでしまった。

「ホラー！　急《きゅう》に走《はし》ったりするからよ！」

蘭《らん》が心配《しんぱい》そうに、前《まえ》のめりに倒《たお》れこんだコナンへと駆《か》け寄《よ》る。

そして、「え？」とコナンがつまずいた何《なに》かに気《き》づいて、息《いき》をのんだ。

さっき会《あ》ったニット帽《ぼう》の男《おとこ》が、胸《むね》に包丁《ほうちょう》を刺《さ》されて倒《たお》れていたのだ。その目《め》は開《ひら》ききっていて、明《あき》らかに死《し》んでいるとわかる。コナンがつまずいたのは、だらんと投《な》げ出《だ》された男《おとこ》の足《あし》だったようだ。

「きゃあああ！」

蘭《らん》の悲鳴《ひめい》が、紅葉《こうよう》の森《もり》にひびき渡《わた》った。

コナンは死体《したい》のそばにしゃがみこみ、冷静《れいせい》に状態《じょうたい》を観察《かんさつ》した。
（死体《したい》はまだ温《あたた》かい…殺《ころ》されてからまだ30分《ぷん》もたってねぇな…）
男《おとこ》は、最後《さいご》にコナンたちが会《あ》ったときの服装《ふくそう》そのままだ。ニット帽《ぼう》にダウンベスト、セーター、そしてズボン。着衣《ちゃくい》に乱《みだ》れはないようだったが、男《おとこ》の手《て》を確認《かくにん》していたコナンは
（ん？）と、不自然《ふしぜん》な点《てん》に気《き》づいた。

（爪《つめ》の間《あいだ》に土《つち》が…何《なん》で!?）

園子《そのこ》と蘭《らん》は、死体《したい》を見《み》て取《と》り乱《みだ》していたものの、次第《しだい》に落《お》ち着《つ》きを取《と》り戻《もど》しつつあった。

「ね、ねえ、警察《けいさつ》に連絡《れんらく》した方《ほう》がいいんじゃない？」

「う、うん！」

園子《そのこ》に言《い》われ、蘭《らん》は携帯電話《けいたいでんわ》を操作《そうさ》した。

「もしもし？　もしもし？　警察《けいさつ》ですか!?」

警察《けいさつ》に電話《でんわ》をかける蘭《らん》の隣《となり》で、コナンはハッとして身体《からだ》をこわばらせた。

林《はやし》の奥《おく》から、人《ひと》の気配《けはい》を感《かん》じるのだ。

（誰《だれ》かいる…それも…一人《ひとり》や二人《ふたり》じゃねぇ…何《なん》だ!?）

気配《けはい》のする方《ほう》をにらみつけるが、誰《だれ》も姿《すがた》を見《み》せない。

「あ、はい…男《おとこ》の人《ひと》が刃物《はもの》で刺《さ》されて倒《たお》れていて…」

蘭《らん》も園子《そのこ》も、人《ひと》の気配《けはい》には気《き》づいていないようだ。蘭《らん》は、警察《けいさつ》を相手《あいて》に、一生懸命《いっしょうけんめい》に現《げん》場《ば》の様子《ようす》を伝《つた》え続《つづ》けている。

蘭《らん》の通報《つうほう》を受《う》け、鑑識《かんしき》とともに現場《げんば》へとやって来《き》たのは、群馬県警《ぐんまけんけい》の山村《やまむら》ミサオ刑事《けいじ》だった。

「なんだまた君達《きみたち》か…死体《したい》を発見《はっけん》してくれちゃったのは…」

コナンたちの顔《かお》を見《み》るなり、山村刑事《やまむらけいじ》はゆるい口調《くちょう》で言《い》って顔《かお》をしかめた。山村刑事《やまむらけいじ》は、以前《いぜん》にも、事件《じけん》に遭遇《そうぐう》したコナンたちと現場《げんば》で居合《いあ》わせたことがあるのだ。頻繁《ひんぱん》に事件《じけん》に巻《ま》き込《こ》まれるコナンたちのことを、どこか怪《あや》しんでいるようだ。

「ひょっとして君達《きみたち》、何《なに》か呪《のろ》われるような事《こと》、しちゃったんじゃないの？　仏壇《ぶつだん》をひっくり返《かえ》したとか…墓石《はかいし》をけとばしたとか…」

「してないわよ!!」

園子《そのこ》が心外《しんがい》そうに声《こえ》を張《は》り上《あ》げる。

「それで？　君達《きみたち》、この人《ひと》、知《し》ってるの？」

山村刑事《やまむらけいじ》が、被害者《ひがいしゃ》の遺体《いたい》をじろりと見回《みまわ》して聞《き》いた。

「い、いえ…今日《きょう》、初《はじ》めてここで会《あ》った人《ひと》で…言伝《ことづて》を頼《たの》まれて駅前《えきまえ》の赤樹旅館《あかぎりょかん》に行《い》って…」

「またここへ戻《もど》って来《き》たら、胸《むね》を刺《さ》されて倒《たお》れていたのよ！」

蘭《らん》と園子《そのこ》が口々《くちぐち》に説明《せつめい》する。

「言伝《ことづて》ってどんな？」

「あ、この人《ひと》、『冬《ふゆ》の紅葉《もみじ》』っていうTV《テレビ》ドラマのAD《エーディー》さんで…」

蘭《らん》が答《こた》えると、山村刑事《やまむらけいじ》の顔《かお》が一気《いっき》に輝《かがや》いた。

「冬《ふゆ》の紅葉《もみじ》⁉ 知《し》ってる知《し》ってる!! 今《いま》、群馬《ぐんま》ローカルTV《テレビ》で再放送《さいほうそう》してる恋愛《れんあい》ドラマだろ⁉ 僕《ぼく》も田舎《いなか》のおばーちゃんに勧《すす》められて再放送《さいほうそう》を観始《みはじ》めたんだけど、はまっちゃって！ 毎週土曜《まいしゅうどよう》の夜《よる》9時《じ》から10時《じ》はTV《テレビ》の前《まえ》に釘付《くぎづ》けだよ！」

早口《はやくち》にまくしたてると、山村刑事《やまむらけいじ》はうれしそうに、ポケットから携帯《けいたい》TV《テレビ》を取《と》り出《だ》して蘭《らん》たちに見《み》せた。

「今日《きょう》はその土曜日《どようび》！ だからホラ！ こっそり観《み》ようと携帯《けいたい》TV《テレビ》を持《も》って来《き》てるんだ!! 一応留守録《いちおうるすろく》してるんだけど待《ま》ちきれなくってねぇ!!」

「……」

ハイテンションな刑事《けいじ》に圧倒《あっとう》されて、蘭《らん》が無言《むごん》になる。園子《そのこ》はすっかりあきれ顔《がお》だ。

山村刑事《やまむらけいじ》は携帯《けいたい》TV《テレビ》をしまうと、おもむろに表情《ひょうじょう》を引《ひ》き締《し》め「…で？」と話題《わだい》を戻《もど》した。

「そのドラマのAD《エーディー》からどんな言伝《ことづて》を？」

「あ、はい…ドラマの元《もと》となった、赤《あか》いハンカチが付《つ》けられた紅葉《もみじ》の木《き》の場所《ばしょ》が知《し》りたいっていうファンの人《ひと》がいて…その木《き》を見《み》つけたから赤樹旅館《あかぎりょかん》に泊《と》まってるそのファンに、ここで待《ま》ってると伝《つた》えてくれと頼《たの》まれたんです…」

蘭《らん》の説明《せつめい》を聞《き》いて、山村刑事《やまむらけいじ》は眉《まゆ》をひそめた。

「横着《おうちゃく》なんだねぇ…自分《じぶん》で伝《つた》えればいいのに…」

「その木《き》を探《さが》すのにヘトヘトに疲《つか》れちゃったんだってさ！」

園子《そのこ》が言《い》うと、山村刑事《やまむらけいじ》は「じゃあそのファンの人《ひと》に会《あ》ったの？」と、蘭《らん》に顔《かお》を向《む》けた。

「いえ…その旅館《りょかん》のノートに園子《そのこ》が書《か》き込《こ》んだだけです…『お探《さが》しの木《き》は見《み》つかりました。ドラマのラストで使《つか》った岩《いわ》のある場所《ばしょ》に来《き》てください…ホヅミ』って、なぜかカタカナで…」

「え？　何《なん》でカタカナ？」

山村刑事《やまむらけいじ》に聞《き》かれ、園子《そのこ》は首《くび》をひねった。

「さあ…そう書《か》いてくれって…」

「その人《ひと》、普段《ふだん》からカタカナを使《つか》ってたからかもしれないよ！」

口《くち》をはさんだのは、コナンだ。

「ホラ！　ボク達《たち》がここへ戻《もど》って来《く》る途中《とちゅう》で拾《ひろ》ったその人《ひと》の手帳《てちょう》にも…『ホヅミ』ってカタカナで入《はい》ってるしね！」

コナンはそう言《い》うと、指紋《しもん》がつかないようハンカチでくるんで手帳《てちょう》をつかみ、山村刑事《やまむらけいじ》へと差《さ》し出《だ》した。

「落《お》ちてたのはここから100m《メートル》ぐらい離《はな》れた所《ところ》で、血《ち》で濡《ぬ》れてたから必死《ひっし》になってここへ来《き》て見《み》つけたんだよ！　その人《ひと》が倒《たお》れているのをね！」

「へ────…」

コナンから手帳《てちょう》を受《う》け取《と》ると、山村刑事《やまむらけいじ》は、被害者《ひがいしゃ》の死体《したい》へと視線《しせん》を向《む》けた。

「…だとしたら、この人《ひと》は自分《じぶん》の名前《なまえ》の漢字《かんじ》をうっかり忘《わす》れちゃったおバカさんかもしれないね…どことなく間《ま》の抜《ぬ》けた顔付《かおつ》きだし…」

大《おお》まじめな顔《かお》でヘッポコ推理《すいり》を披露《ひろう》する山村刑事《やまむらけいじ》に、コナンは内心《ないしん》で（おいおい…）と突《つ》っ込《こ》みを入《い》れた。自分《じぶん》の名前《なまえ》の漢字《かんじ》を忘《わす》れる人間《にんげん》なんてめったにいない。被害者《ひがいしゃ》がいつも自分《じぶん》の名前《なまえ》をカタカナで書《か》いていたのには、何《なに》か別《べつ》の理由《りゆう》があると考《かんが》えた方《ほう》が自然《しぜん》だ。

「えーっと、手帳《てちょう》には…特《とく》に何《なに》も…」

被害者《ひがいしゃ》の手帳《てちょう》を確認《かくにん》していた山村刑事《やまむらけいじ》は、中《なか》のページに、先《さき》ほどコナンが発見《はっけん》した血痕《けっこん》を見《み》つけて、ページをめくる手《て》を止《と》めた。

「ん？　4月1日《がっついたち》に血《ち》の跡《あと》…4月1日《がっついたち》といえばエイプリルフール…4月《がっ》バカ…」

血痕《けっこん》のついていた日付《ひづけ》から連想《れんそう》して、山村刑事《やまむらけいじ》はハッと前《まえ》のめりになった。

「そうか！　やっぱりこの人《ひと》、おバカさんだったんだよ‼」

(バカはあんただよ…)

再《ふた》びヘッポコ推理《すいり》を聞《き》かされ、コナンはげんなりしてしまった。

「あの――…もしかしてそれ、ダイイングメッセージなんじゃ…」

山村刑事《やまむらけいじ》を見《み》かねた蘭《らん》が、おずおずと指摘《してき》した。

「その人《ひと》の指《ゆび》、血《ち》が付《つ》いてるし…」

と、園子《そのこ》も言《い》い添《そ》える。

「でもそうすると、犯人《はんにん》はおバカさんって事《こと》になっちゃうよ？」

あくまで四月《しがつ》バカにこだわる山村刑事《やまむらけいじ》は、そう言《い》って反論《はんろん》した。

その時《とき》、被害者《ひがいしゃ》の死体《したい》を確認《かくにん》していた刑事《けいじ》が、「山村《やまむら》さん、ちょっと…」と山村刑事《やまむらけいじ》に
声《こえ》をかけた。

「ん？」

「被害者《ひがいしゃ》の死亡推定時刻《しぼうすいていじこく》が今日《きょう》の夕方《ゆうがた》5時頃《じごろ》…一度腹《いちどはら》を刺《さ》された後《あと》、胸《むね》を刺《さ》されたというところまではわかったんですが…被害者《ひがいしゃ》の身元《みもと》が…どうやら犯人《はんにん》に全《すべ》て抜《ぬ》き取《と》られているようで…」

このままでは被害者《ひがいしゃ》の身元《みもと》の特定《とくてい》を進《すす》められない……と心配《しんぱい》する刑事《けいじ》に、山村刑事《やまむらけいじ》は

「それなら大丈夫《だいじょうぶ》！」と明《あか》るく声《こえ》をかけた。

「『冬《ふゆ》の紅葉《もみじ》』の制作《せいさく》スタッフに電話《でんわ》して…このホヅミっていうAD《エーディー》を捜《さが》せば、すぐにわかっちゃいますよ！」

先《さき》ほどコナンから受《う》け取《と》った手帳《てちょう》を取《と》り出《だ》し、『ホヅミ』の文字《もじ》を指《ゆび》さして言《い》うと、山《やま》村刑事《むらけいじ》は蘭《らん》たちの方《ほう》をふり返《かえ》った。

「だよね？」

「は、はい…」

蘭《らん》がうなずく。

刑事《けいじ》が、しゃがんだまま山村刑事《やまむらけいじ》を見上《みあ》げて、「あ、それと…」とつけたした。

「さっきこの辺《へん》を調《しら》べていた所轄《しょかつ》の刑事《けいじ》から報告《ほうこく》があったんですが…この近《ちか》くで無人《むじん》のテントを発見《はっけん》したそうです…しかもさっきまでいた形跡《けいせき》があったらしくて…」

「それはかなり怪《あや》しいですね！　引《ひ》き続《つづ》き捜査《そうさ》してくれちゃってください！」

テントの持《も》ち主《ぬし》は、もしかしたらさっき、コナンが気配《けはい》を感《かん》じた連中《れんちゅう》のものかもしれない。コナンは、山村刑事《やまむらけいじ》に報告《ほうこく》をした刑事《けいじ》に声《こえ》をかけた。

「ねぇ、その刑事《けいじ》さん達《たち》、他《ほか》に何《なに》か言《い》ってなかった…怪《あや》しい人《ひと》がいっぱいいたとか…」

「いや…見《み》つけたのはテントだけだよ…」

「そんなテントより、赤樹旅館《あかぎりょかん》に行《い》った方《ほう》がいいんじゃない？」

園子《そのこ》に言《い》われ、山村刑事《やまむらけいじ》は不思議《ふしぎ》そうに「え？」と顔《かお》を向《む》けた。

「ここって、冬《ふゆ》の紅葉《もみじ》のラストを撮《と》った場所《ばしょ》だから、ここで待《ま》ち合《あ》わせしてたそのファン、怪《あや》しいよ!!」

途端《とたん》に、山村刑事《やまむらけいじ》の目《め》がきらきらと輝《かがや》いた。

「へぇ――ここであのドラマのラストを…」

と、感極《かんきわ》まった様子《ようす》で、周囲《しゅうい》をながめまわす。

「ええそうよ！　ラストで将校《しょうこう》があの岩《いわ》にもたれかかって令嬢《れいじょう》を…」

園子《そのこ》が、岩《いわ》を指《ゆび》さして説明《せつめい》しようとすると、山村刑事《やまむらけいじ》はあわてて大声《おおごえ》を出《だ》した。

「あ〜〜〜ダメダメ!!!　まだドラマ観《み》てる途中《とちゅう》なんだから言《い》わないで!!」

本気《ほんき》の形相《ぎょうそう》で園子《そのこ》を止《と》める山村刑事《やまむらけいじ》の様子《ようす》に、コナンは「ハハ…」と乾《かわ》いた笑《わら》いを漏《も》らした。

コナンたちは現場《げんば》を離《はな》れ、伝言《でんごん》を残《のこ》したノートのある赤樹旅館《あかぎりょかん》まで、山村刑事《やまむらけいじ》を連《つ》れて行《い》った。旅館《りょかん》の従業員《じゅうぎょういん》に今夜《こんや》の宿泊客《しゅくはくきゃく》を聞《き》くと、なんと五十三人《ごじゅうさんにん》もいるという。

「ご、53人《にん》!? そんなに泊《と》まっちゃってるの?」

もっと少《すく》ないだろうと予想《よそう》していたらしく、山村刑事《やまむらけいじ》の声《こえ》がひっくり返《かえ》った。

「はい、お蔭様《かげさま》で!」

初老《しょろう》の従業員《じゅうぎょういん》が、うれしそうにうなずく。例《れい》のドラマのおかげで、宿泊客《しゅくはくきゃく》が激増《げきぞう》しているらしい。五十人以上《ごじゅうにんいじょう》もの宿泊客《しゅくはくきゃく》の中《なか》から、被害者《ひがいしゃ》が伝言《でんごん》を残《のこ》した相手《あいて》を見《み》つけるのは、骨《ほね》が折《お》れそうだった。

「じゃあ今朝《けさ》泊《と》まりに来《き》た人《ひと》は?」

大人《おとな》たちの会話《かいわ》に、コナンが口《くち》をはさんだ。

「ホラ、あの人《ひと》言《い》ってたよね? そのファンから『今朝《けさ》この旅館《りょかん》にチェックインしたっていうメールをもらった』って！」

ニット帽《ぼう》の男《おとこ》の言葉《ことば》を思《おも》い出《だ》し、蘭《らん》は「う、うん…」とうなずいた。

「えーっと…今朝《けさ》泊《と》まりに来《き》たのは…この3名様《めいさま》ですが…」

そう言《い》って、従業員《じゅうぎょういん》は宿泊客名簿《しゅくはくきゃくめいぼ》を山村刑事《やまむらけいじ》に見《み》せた。

そこには、大隈勇《おおくまいさむ》、綿貫辰三《わたぬきたつぞう》、そしてHance Buckley《ハンス バックリー》という三人《さんにん》の男性《だんせい》の名前《なまえ》が並《なら》んでいる。

「へー…じゃあここに呼《よ》んでもらえます？　この三人《さんにん》を…」


ロビーに呼《よ》び出《だ》された三人《さんにん》の男性客《だんせいきゃく》たちは、年齢《ねんれい》も容姿《ようし》もかなりバラバラだった。

「あんだよ、ウゼェなァ…」

不機嫌《ふきげん》そうにやって来《き》たのは、二十五歳《にじゅうごさい》の大隈勇《おおくまいさむ》だ。髪《かみ》をオールバックにして、鼻《はな》にはピアスをつけている。

「警察《けいさつ》が…こんな夜《よ》ふけに…」

鼻《はな》の下《した》にりっぱなひげをたくわえ、眼鏡《めがね》をかけた老人《ろうじん》は、六十三歳《ろくじゅうさんさい》の綿貫辰三《わたぬきたつぞう》。

「ドウイウゴ用件《ようけん》デスカー？」

四十一歳《よんじゅういっさい》のハンス・バックリーは、背《せ》の高《たか》い外国人《がいこくじん》で、あごのひげを伸《の》ばしていた。

(口《くち》の悪《わる》い若《わか》い男《おとこ》に…眼鏡《めがね》をかけた老人《ろうじん》に…カタコトの日本語《にほんご》を喋《しゃべ》る外国人《がいこくじん》か…)

コナンは、三人《さんにん》の男性《だんせい》を冷静《れいせい》に観察《かんさつ》した。三人《さんにん》とも、この旅館《りょかん》の浴衣《ゆかた》を着《き》ている。

「あ、いや…夕方《ゆうがた》の5時頃《じごろ》、どこで何《なに》をされてたかなァーって思《おも》って…」

「部屋《へや》で寝《ね》てたよ…」

山村刑事《やまむらけいじ》に聞《き》かれ、まず大隈《おおくま》が真《ま》っ先《さき》に答《こた》えた。

「ワシは風呂《ふろ》に…」

「近《ちか》クヲ散歩《さんぽ》シテマシター！」

綿貫《わたぬき》、ハンスも順番《じゅんばん》に答《こた》える。

「それを証明《しょうめい》する人《ひと》は？」

山村刑事《やまむらけいじ》が、メモを取《と》りながら続《つづ》けて聞《き》いた。

「いねぇよ！」

「部屋《へや》の風呂《ふろ》じゃったから…」

「誰《だれ》ニモ会《あ》ワナカッタネ！」

大隈《おおくま》、綿貫《わたぬき》、ハンスの順番《じゅんばん》で答《こた》える。

三人《さんにん》とも、事件《じけん》のあった時刻《じこく》にアリバイはないようだ。

「ねえ…あの鼻《はな》ピアスした男《おとこ》、怪《あや》しくない？」

大隈《おおくま》の方《ほう》を見《み》ながら、園子《そのこ》がこっそりと蘭《らん》に聞《き》いた。

「え？」

「きっと漢字《かんじ》が読《よ》めそうにないから、カタカナで名前《なまえ》を書《か》いてくれって頼《たの》んだのよ！」

「だったらあのおじいさんも怪《あや》しいよ…漢字《かんじ》だと細《こま》かくて見《み》えないから、カタカナにしたかもしれないし…」

蘭《らん》が、綿貫《わたぬき》を見《み》ながら言《い》う。

ハンスに視線《しせん》を移《うつ》した園子《そのこ》は、「あ、まって！　あの外国人《がいこくじん》かも！」と声《こえ》を上《あ》げた。

「漢字《かんじ》は読《よ》めないけど、カタカナやひらがなは読《よ》めるっていう外国人《がいこくじん》いそうだし…」

結局《けっきょく》、三人《さんにん》とも怪《あや》しくなってしまった。

山村刑事《やまむらけいじ》は、被害者《ひがいしゃ》がTV《テレビ》局《きょく》のAD《エーディー》だということは伏《ふ》せたまま、三人《さんにん》にいくつか質問《しつもん》を続《つづ》け、最後《さいご》に例《れい》のドラマについて聞《き》いた。

「じゃああなた達《たち》の中《なか》で…『冬《ふゆ》の紅葉《もみじ》』っていうドラマを知《し》ってる人《ひと》は？」

「あんだよそれ？」

「聞《き》いた事《こと》ないのォ…」

「冬《ふゆ》ニナルト紅葉《もみじ》ハ、散《ち》ッテシマイマース！」

三人《さんにん》が一斉《いっせい》に答《こた》える。大隈《おおくま》も、綿貫《わたぬき》も、バックリーも、ドラマを観《み》てはいないらしい。

しかし山村刑事《やまむらけいじ》は、三人《さんにん》の証言《しょうげん》を信《しん》じず、

「あ――もしかして、知《し》ってて知《し》らないフリをしてくれちゃってますねー？　でも無駄《むだ》ですよー！　大《だい》ファンならオープニングを観《み》ただけで顔《かお》に出《で》ちゃいますから！」

そう言《い》うと、ロビーの時計《とけい》がちょうど九時《くじ》になったことを確認《かくにん》して、スーツの内《うち》ポケットから携帯《けいたい》TV《テレビ》を出《だ》す。

「さあ御覧《ごらん》なさい!!　冬《ふゆ》の紅葉《もみじ》を!!」

しかし、オンにした携帯《けいたい》TV《テレビ》から聞《き》こえてきたのは、ドラマのオープニングではなく、観衆《かんしゅう》の大歓声《だいかんせい》だった。画面《がめん》に映《うつ》ったのは、どこかの武道館《ぶどうかん》だ。

『さぁ、いよいよ始《はじ》まりました!!　欧州空手道王者選手権《ヨーロッパからてどうおうじゃせんしゅけん》!!!』

アナウンサーの声《こえ》が告《つ》げる。どうやら、空手《からて》の国際大会《こくさいたいかい》が始《はじ》まろうとしているらしい。

「え？　ウソ…特番《とくばん》？」

山村刑事《やまむらけいじ》が、とまどって画面《がめん》を確認《かくにん》する。

『なお、今夜放送予定《こんやほうそうよてい》の『冬《ふゆ》の紅葉《もみじ》』第《だい》8話《わ》はお休《やす》みさせて頂《いただ》きます…』

「空手《からて》を観《み》ろってのか？」

大隈《おおくま》にぶっきらぼうに聞《き》かれ、山村刑事《やまむらけいじ》は「あ、いえ…」と言葉《ことば》を濁《にご》した。手《て》に持《も》った携帯《けいたい》ＴＶ《テレビ》のスピーカーからは、アナウンサーの声《こえ》が流《なが》れ続《つづ》けている。

『しかし、何《なん》といっても今大会《こんたいかい》の注目《ちゅうもく》は彼《かれ》でしょう！　我《わ》が日本《にっぽん》が誇《ほこ》る蹴撃《しゅうげき》の貴公子《きこうし》…京《きょう》極真《ごくまこと》!!!』

蘭《らん》と園子《そのこ》が、同時《どうじ》に反応《はんのう》して「え？」とつぶやいた。

園子《そのこ》が、山村刑事《やまむらけいじ》から携帯《けいたい》ＴＶ《テレビ》をガッとひったくる。

「ちょっと貸《か》して!!」

画面《がめん》には、険《けわ》しい表情《ひょうじょう》で拳《こぶし》を構《かま》える京極《きょうごく》の写真《しゃしん》が映《うつ》し出《だ》されていた。左眉《ひだりまゆ》の上《うえ》には、相《あい》変《か》わらず絆創膏《ばんそうこう》が貼《は》られている。

『弱冠《じゃっかん》18歳《さい》にして…４００戦無敗《せんむはい》!!　孤高《ここう》の拳聖《けんせい》、京極真《きょうごくまこと》!!!』

「キャー真《まこと》さーん♡」

園子《そのこ》は表情《ひょうじょう》を一気《いっき》にほころばせ、ＴＶ《テレビ》画面《がめん》に向《む》かって声援《せいえん》を送《おく》った。

「──っていうか園子《そのこ》…この大会《たいかい》の事《こと》、京極《きょうごく》さんに聞《き》いてなかったの？」

蘭《らん》が、TV《テレビ》画面《がめん》をのぞきこんで聞《き》く。

「だって──負《ま》けるトコ見《み》られるぐらいなら切腹《せっぷく》した方《ほう》がマシって言《い》って教《おし》えてくれないんだもーん！」

「せ、切腹《せっぷく》？」

蘭《らん》がぎょっとして聞《き》き返《かえ》した。腹《はら》を切《き》るとは穏《おだ》やかでないが、あのストイックな京極《きょうごく》のことだから、ありえないとも言《い》い切《き》れない。

（ってか、負《ま》けねぇだろ…）

コナンは心《こころ》の中《なか》でつぶやいた。

「あの──山村《やまむら》さん…被害者《ひがいしゃ》の身元《みもと》の事《こと》なんですが…」

さっきの刑事《けいじ》が、山村刑事《やまむらけいじ》のもとへ走《はし》ってきた。

「ん？　わかりましたか？」

「そ、それが…ドラマの制作会社《せいさくがいしゃ》に問《と》い合《あ》わせた所《ところ》…『ホヅミ』という名前《なまえ》のAD《エーディー》はいないっていうんですよ…」

報告《ほうこく》を聞《き》いて、コナンと山村刑事《やまむらけいじ》はそろって「え!?」と目《め》を見開《みひら》いた。

ホヅミという名前《なまえ》のAD《エーディー》が存在《そんざい》しないということは、被害者《ひがいしゃ》が言《い》っていたことはウソだったのだろうか？

「社員《しゃいん》はほぼ帰宅《きたく》していてアルバイトに聞《き》いたんですが…社員名簿《しゃいんめいぼ》にそんな人《ひと》は見当《みあ》たらないって…一応《いちおう》これが送《おく》ってもらった名簿《めいぼ》のコピーです…」

「ん〜〜？」

差《さ》し出《だ》された紙《かみ》に目《め》を通《とお》した山村刑事《やまむらけいじ》は、いぶかしげに顔《かお》をしかめた。

「大丈夫《だいじょうぶ》ですか？　この名簿《めいぼ》…日付《ひづけ》が混《ま》じってるみたいですけど…ほら、一番下《いちばんした》に…」

山村刑事《やまむらけいじ》が指《ゆび》さした欄《らん》を見《み》て、刑事《けいじ》が「ですよね…」とうなずく。

二人《ふたり》の会話《かいわ》を聞《き》いただけで、コナンはピンと来《き》ていた。

(そうか日付《ひづけ》……だとすると…)

被害者《ひがいしゃ》のダイイングメッセージの意味《いみ》がわかった、かもしれない。自分《じぶん》の推理《すいり》を確《たし》かめるため、コナンはこっそりと旅館《りょかん》を抜《ぬ》け出《だ》した。

「でもそのアルバイトの言《い》う事《こと》を信《しん》じるとしたら…被害者《ひがいしゃ》は嘘《うそ》をついていた事《こと》に…」

刑事《けいじ》が言《い》うと、山村刑事《やまむらけいじ》はあごに手《て》をあてて、真剣《しんけん》に考《かんが》え始《はじ》めた。

「嘘《うそ》…そういえばエイプリルフールは…嘘《うそ》をついてもいい日《ひ》…つまり犯人《はんにん》は嘘《うそ》をついてく

れちゃっているって事《こと》ですよ!!」

「あ、いや、嘘《うそ》をついていたのは被害者《ひがいしゃ》の方《ほう》で…」

相変《あいか》わらずのヘッポコ推理《すいり》を、刑事《けいじ》の男《おとこ》が苦笑《にがわら》いでたしなめる。

「あれ？　コナン君《くん》？」

蘭《らん》が、コナンの姿《すがた》が見《み》えないことに気《き》づいたが、コナンはすでに旅館《りょかん》を抜《ぬ》け出《だ》して、山《さん》中《ちゅう》の殺人現場《さつじんげんば》へと走《はし》っていた。


腕時計《うでどけい》についたライトで行《ゆ》く先《さき》を照《て》らして走《はし》り、コナンは殺人現場《さつじんげんば》の近《ちか》くへと戻《もど》っていた。

(オレの推理《すいり》が正《ただ》しければ…犯人《はんにん》はまだ見《み》つけてないはず!!)

コナンが立《た》ち止《ど》まったのは、昼間《ひるま》、園子《そのこ》のハンカチを探《さが》して登《のぼ》った木《き》の前《まえ》だ。ドラマのロケ地《ち》でもないのに、この木《き》には、一枚《いちまい》だけ赤《あか》いハンカチが結《むす》びつけられていた。

(あった！　この木《き》だ!!)

コナンは腕時計《うでどけい》を口《くち》にくわえ、落《お》ち葉《ば》をかきわけて、木《き》の根元《ねもと》を掘《ほ》り始《はじ》めた。

(地面《じめん》がまだやわらかい…やっぱりホヅミさんは掘《ほ》ったんだ…犯人《はんにん》と会《あ》う前《まえ》に…)

死体《したい》の爪《つめ》の先《さき》に土《つち》が入《はい》りこんでいたのは、このためだったのだ。

土《つち》を掘《ほ》り進《すす》めていたコナンは、驚《おどろ》いて手《て》を止《と》めた。木《き》の根元《ねもと》には、人間《にんげん》の頭蓋骨《ずがいこつ》が埋《う》まっていたのだ。

(なるほど…冬《ふゆ》の紅葉《もみじ》は…これの墓標《ぼひょう》だったってわけか!!)

コナンは、謎《なぞ》が全《すべ》て解《と》けたことを確信《かくしん》して、不敵《ふてき》にほほえんだ。


頭蓋骨《ずがいこつ》を見《み》つめるコナンの背後《はいご》に、人影《ひとかげ》があった。

人影《ひとかげ》は、木《き》の上《うえ》から、コナンの姿《すがた》をじっと見《み》つめている。

しかしコナンは、自分《じぶん》の推理《すいり》に夢中《むちゅう》で、その怪《あや》しい気配《けはい》には気《き》づいていなかった。


蘭《らん》は、コナンを捜《さが》して旅館中《りょかんじゅう》を歩《ある》きまわっていた。しかし見《み》つからず、心配《しんぱい》していると、コナン本人《ほんにん》から電話《でんわ》がかかってきた。

「ちょっとコナン君《くん》!? 今《いま》どこにいるのよ!? 捜《さが》したのよ!!」

電話口《でんわぐち》に向《む》かって怒《おこ》る蘭《らん》に、コナンは、自分《じぶん》を置《お》いて先《さき》に帰《かえ》るよう告《つ》げた。

「え? 先《さき》に帰《かえ》っててくれ?」

蘭《らん》が驚《おどろ》いて聞《き》き返《かえ》す。

『うん…元太達《げんたたち》のお土産《みやげ》、何《なに》にしようか迷《まよ》ってて…阿笠博士《あがさはかせ》に迎《むか》えに来《き》てもらう事《こと》にしたから心配《しんぱい》しないで!! それより今朝《けさ》、その旅館《りょかん》に泊《と》まりに来《き》たあの三人《さんにん》のお客《きゃく》さんって…まだそこにいる?』

コナンに聞《き》かれ、蘭《らん》は背後《はいご》をふり返《かえ》った。例《れい》の三人《さんにん》は、まだロビーにいて、山村刑事《やまむらけいじ》と立《た》ち話《ばなし》をしている。

「いるよ…大隈勇《おおくまいさむ》さんも…綿貫辰三《わたぬきたつぞう》さんも…ハンス・バックリーさんも…でも今日《きょう》はもう遅《おそ》いから、事情聴取《じじょうちょうしゅ》は日《ひ》を改《あらた》めてやりましょうって、さっき山村刑事《やまむらけいじ》が言《い》ってたけど…」

『あ、ちょっと園子姉《そのこねえ》ちゃんに代《か》わってくれる?』

「え? 園子《そのこ》に?」

蘭《らん》の隣《となり》で、携帯《けいたい》TV《テレビ》の試合中継《しあいちゅうけい》に夢中《むちゅう》になっていた園子《そのこ》が、「ん?」と視線《しせん》を向《む》けた。

電話《でんわ》を代《か》わった園子《そのこ》にコナンが聞《き》いたのは、ドラマのロケ地《ち》に行《い》く途中《とちゅう》で、風《かぜ》に飛《と》ばされたハンカチを探《さが》してコナンが登《のぼ》った、あの木《き》についてだった。

「え、ええ…覚《おぼ》えてるわよ…私《わたし》のハンカチがひっかかったかもって思《おも》った紅葉《もみじ》の木《き》でしょ？　確《たし》かドラマのラストで使《つか》った岩《いわ》のある林《はやし》のかなり手前《てまえ》にあったわよね…歩《ある》いて10分《ぷん》ぐらいかかったし…え？　本当《ほんとう》はあの木《き》もドラマで使《つか》ったかもしれない？」

『うん！　あの木《き》にハンカチ付《つ》いてたし、枝《えだ》の感《かん》じとかもよかったから…』

園子《そのこ》は「バカね！」とあきれた。

「あの木《き》の赤《あか》いハンカチはファンの仕業《しわざ》！　ドラマで使《つか》ったのは岩《いわ》のそばに立《た》ってる紅葉《もみじ》の木《き》だけよ！　そんな木《き》が二本《にほん》も三本《さんぼん》もあったら紛《まぎ》らわしいじゃない!!」

園子《そのこ》が言《い》い終《お》わる前《まえ》に、コナンは唐突《とうとつ》に電話《でんわ》を切《き》ってしまった。

「あ、ちょっと!?　おーい!!」

園子《そのこ》があわてて呼《よ》びかけるが、通話《つうわ》はすでに終了《しゅうりょう》している。

「ウソ…切《き》れちゃったの？」

蘭《らん》が驚《おどろ》いて、つぶやいた。

ホテルのロビーで、怪《あや》しい人影《ひとかげ》が、コナンと電話《でんわ》で話《はな》す蘭《らん》と園子《そのこ》の声《こえ》をこっそりと聞《き》いていた。

「……」

人影《ひとかげ》は、ニヤリと唇《くちびる》の端《はし》をゆがめてほくそ笑《え》むと、旅館《りょかん》の外《そと》へと出《で》ていった。


蘭《らん》は、すぐにコナンに電話《でんわ》をかけなおしたが、つながらなかった。

そこで、今度《こんど》は、コナンを迎《むか》えに来《く》るはずの阿笠博士《あがさはかせ》へと電話《でんわ》をかけてみる。

「ああ…蘭君《らんくん》か？　あ、ああ、そうじゃ…これからコナン君《くん》をビートルで迎《むか》えに行《い》くところじゃよ…」

阿笠博士《あがさはかせ》は、運転《うんてん》しながらハンズフリー通話《つうわ》で蘭《らん》からの電話《でんわ》に応対《おうたい》した。

「さっきコナン君《くん》と相談《そうだん》して、その車《くるま》にわたしと園子《そのこ》も乗《の》って帰《かえ》る事《こと》になったから…」

蘭《らん》が言《い》うと、隣《となり》で電話《でんわ》を聞《き》いていた園子《そのこ》が「え？」と目《め》を丸《まる》くした。

「ウソ！　ウチの車呼《くるまよ》んじゃったよ…」

あせる園子《そのこ》に、蘭《らん》が「シッ！」と人差《ひとさ》し指《ゆび》を立《た》てる。博士《はかせ》の車《くるま》に乗《の》って帰《かえ》ると言《い》ったのは、コナンの居場所《いばしょ》を知《し》るためのウソなのだ。好奇心旺盛《こうきしんおうせい》なコナンが、目《め》の届《とど》かないところで危険《きけん》な目《め》に遭《あ》うことを、蘭《らん》は心配《しんぱい》していた。

「だからコナン君《くん》と待《ま》ち合《あ》わせしてる場所《ばしょ》、教《おし》えてくれる？　電話《でんわ》の途中《とちゅう》でコナン君《くん》の携《けい》帯《たい》の電池《でんち》、切《き》れちゃったみたいで…」

（変《へん》じゃのォ…乗《の》せるのは新一君一人《しんいちくんひとり》のはずじゃったが…）

疑問《ぎもん》に思《おも》いつつも、阿笠博士《あがさはかせ》は蘭《らん》に、コナンとの待《ま》ち合《あ》わせ場所《ばしょ》を伝《つた》えた。

「冬《ふゆ》の紅葉《もみじ》というドラマの撮影《さつえい》で使《つか》った山《やま》の登山口《とざんぐち》じゃよ…」

「そう…ありがと博士《はかせ》！」

電話《でんわ》を切《き》った蘭《らん》は、コナンを迎《むか》えに行《い》くため、園子《そのこ》とともに、阿笠博士《あがさはかせ》から聞《き》いた場所《ばしょ》へと向《む》かった。


夜《よる》が更《ふ》け、時刻《じこく》は十時《じゅうじ》を過《す》ぎる頃《ころ》。

怪《あや》しい人影《ひとかげ》が、懐中電灯《かいちゅうでんとう》で辺《あた》りを照《て》らしながら、紅葉《こうよう》した夜《よる》の山《やま》をうろついていた。捜《さが》しているのは、コナンが昼間《ひるま》に登《のぼ》った、一枚《いちまい》だけハンカチが結《むす》びつけられている木《き》だ。

園子《そのこ》の電話《でんわ》を盗《ぬす》み聞《ぎ》きして得《え》た、「ドラマのラストで使《つか》った岩《いわ》のある林《はやし》のかなり手前《てまえ》、歩《ある》いて10分《ぷん》ぐらい」という情報《じょうほう》を頼《たよ》りに、怪《あや》しい人影《ひとかげ》は、山中《さんちゅう》を歩《ある》き続《つづ》けた。

やがて、目当《めあ》ての木《き》を見《み》つけると、その木《き》の根元《ねもと》を掘《ほ》り始《はじ》める。

土《つち》の下《した》から出《で》てきたのは、人間《にんげん》の頭蓋骨《ずがいこつ》だ。

ニヤリとほくそ笑《え》む怪《あや》しい人影《ひとかげ》に、コナンは木《き》の上《うえ》から声《こえ》をかけた。

「もっと喜《よろこ》びなよ…久《ひさ》し振《ぶ》りの再会《さいかい》なんだろ？　綿貫辰三《わたぬきたつぞう》さん？」

怪《あや》しい人影《ひとかげ》――綿貫《わたぬき》が、ハッとして顔《かお》を上《あ》げる。

コナンは、枝《えだ》の上《うえ》に座《すわ》り、腕時計《うでどけい》のライトを綿貫《わたぬき》に向《む》けて照《て》らしていた。

「その白骨化《はっこつか》した死体《したい》がどこの誰《だれ》かは知《し》らねぇが…殺《ころ》してそこに埋《う》めたのはあんただ…そしてその目印《めじるし》にこの赤《あか》いハンカチを付《つ》けたんだろ？」

そう言《い》って、コナンは横目《よこめ》で、木《き》の枝《えだ》に結《むす》びつけられた赤《あか》いハンカチを見《み》た。この赤《あか》いハンカチは、木《き》の根元《ねもと》に死体《したい》が埋《う》まっていることを示《しめ》す目印《めじるし》だったのだ。

「何《なに》かあった時《とき》、すぐに死体《したい》を移動《いどう》できるように…赤《あか》にしたのは紅葉《もみじ》に混《ま》ざって目立《めだ》たないから…以前《いぜん》、ここは紅葉《こうよう》の季節《きせつ》しか人《ひと》が訪《おとず》れなかったからな…。だが、そのハンカチを元《もと》にしたTV《テレビ》ドラマが放映《ほうえい》され、大人気《だいにんき》になってしまい…ドラマの舞台《ぶたい》としても使《つか》われたこの山《やま》に、季節《きせつ》に関係《かんけい》なくファンが押《お》しかけ、ドラマのラストを真似《まね》て次《つぎ》から次《つぎ》へとハンカチを付《つ》けられて、どの木《き》のそばに死体《したい》を埋《う》めたのかわからなくなっちまったんだ…」

昼間《ひるま》、コナンが蘭《らん》たちとロケ地《ち》を訪《おとず》れたとき、紅葉《もみじ》の木《き》にはびっしりと赤《あか》いハンカチが結《むす》びつけられていた。あんなにたくさんのハンカチが付《つ》いていたら、どれが綿貫《わたぬき》の付《つ》けたハンカチなのか分《わ》からなくなってしまうし、人《ひと》がたくさん来《く》れば、それだけ死体《したい》が発見《はっけん》される可能性《かのうせい》も上《あ》がる。綿貫《わたぬき》は、さぞあせったことだろう。

「このままじゃいつか死体《したい》が見《み》つかると恐《おそ》れたあんたは、元《もと》の木《き》を見《み》つけたのがドラマの制作《せいさく》スタッフのホヅミさんだと知《し》り、金《かね》で彼《かれ》にその木《き》を探《さが》させたってわけさ！　期待通《きたいどお》り、ホヅミさんはその木《き》を見《み》つけ、あんたは彼《かれ》が待《ま》ち合《あ》わせ場所《ばしょ》に指定《してい》したドラマのラストシーンの林《はやし》へ行《い》き、金《かね》を払《はら》ってその木《き》の場所《ばしょ》を教《おし》えてもらえば万事《ばんじ》うまく行《い》くはずだった…しかしホヅミさんはあんたと会《あ》う前《まえ》に見《み》つけちまったんだ…今《いま》のあんたのように、この木《き》の根元《ねもと》を掘《ほ》ってその骨《ほね》をな…そしてあんたと会《あ》ったホヅミさんはその骨《ほね》をネタにあんたを脅《おど》して金《かね》を釣《つ》り上《あ》げたが…逆《ぎゃく》にあんたに殺《ころ》されちまったってところだろう…」

蘭《らん》たちに伝言《でんごん》を頼《たの》んだ時点《じてん》では、おそらく被害者《ひがいしゃ》は、まだ木《き》の下《した》に骨《ほね》が埋《う》まっていることは知《し》らなかっただろう。初《はじ》めから脅《おど》すつもりだったのなら、蘭《らん》たちに頼《たの》まずに自分《じぶん》で会《あ》いに行《い》ったはずだ。被害者《ひがいしゃ》が骨《ほね》を見《み》つけたのは、蘭《らん》たちを見送《みおく》った後《あと》、伝言《でんごん》を見《み》た綿貫《わたぬき》が来《く》るのを待《ま》っている間《あいだ》のことだった。

「木《き》の場所《ばしょ》を聞《き》く前《まえ》に彼《かれ》を殺《ころ》したのは、死体《したい》を見《み》つけたのなら根元《ねもと》の土《つち》が軟《やわ》らかくなっている紅葉《もみじ》の木《き》を探《さが》せばいいと思《おも》ったから…だがあのラストシーンの林《はやし》には、そんな場所《ばしょ》はなかった…。それもそのはず…問題《もんだい》の木《き》はあの場所《ばしょ》から500m《メートル》以上離《いじょうはな》れたここにポツンと立《た》っていたんだから…」

しかし、綿貫《わたぬき》は、頭蓋骨《ずがいこつ》の埋《う》まったこの木《き》までたどり着《つ》いている。その理由《りゆう》を、コナンは、強気《つよき》な笑《え》みを浮《う》かべて話《はな》し始《はじ》めた。

「まあ、ドラマ撮影用《さつえいよう》に赤《あか》いハンカチが二《ふた》つ見《み》える場所《ばしょ》にあると紛《まぎ》らわしいし、シーン的《てき》に変《へん》だから場所《ばしょ》を離《はな》したはずだと予想《よそう》できれば、これが問題《もんだい》の木《き》だってすぐにわかるよ…ドラマの元《もと》となった有難《ありがた》いハンカチを邪魔《じゃま》だからってスタッフが取《と》ったりしないだろーしね…」

綿貫《わたぬき》が、園子《そのこ》の電話《でんわ》を盗《ぬす》み聞《ぎ》きしたことを知《し》らないコナンは、綿貫《わたぬき》が自力《じりき》でこの場所《ばしょ》にたどり着《つ》いたと考《かんが》えていた。

「ホッホッホ…」

綿貫《わたぬき》は、目《め》じりを下《さ》げ、おかしそうに笑《わら》った。

「ボウヤ…なかなか賢《かしこ》いようじゃが…もしもワシがここに来《こ》なかったらどうする気《き》だったんじゃ？」

「警察《けいさつ》に言《い》うだけだよ… ホヅミさんの手帳《てちょう》にあんたが犯人《はんにん》だって書《か》いてあったからな…」

「バカな…あの手帳《てちょう》には4月1日《がつついたち》に血《ち》が付《つ》いていただけで…」

「そう…四月一日《しがつついたち》…昔《むかし》の人《ひと》はその頃《ころ》になると着物《きもの》の綿《わた》を抜《ぬ》いて夏着《なつぎ》にしてたんだ…だから『四月一日《しがつついたち》』と書《か》いて『わたぬき』と読《よ》む変《か》わった名字《みょうじ》が出来《でき》たってわけさ！ つまり、四月一日《しがつついたち》は綿貫《わたぬき》さん…ズバリあんたの名前《なまえ》だったって事《こと》だよ!!」

綿貫《わたぬき》の表情《ひょうじょう》に、動揺《どうよう》が走《はし》った。

「ちなみに、ホヅミさんが自分《じぶん》の名前《なまえ》をカタカナにしてたのは、名字《みょうじ》が八月一日《はちがついちにち》だったから…その名《な》の由来《ゆらい》も八月一日《はちがついたち》になると稲《いね》の穂《ほ》を摘《つ》んで神様《かみさま》に供《そな》えたからで、八月一日《はちがついたち》と書《か》いてホヅミとは読《よ》めないからあえてカタカナを使《つか》ってたんだろーぜ…」

やはり、あの手帳《てちょう》についた血痕《けっこん》は、被害者《ひがいしゃ》が残《のこ》したダイイングメッセージだったのだ。

暦《こよみ》に由来《ゆらい》する名字《みょうじ》をもつ被害者《ひがいしゃ》だからこそ、綿貫《わたぬき》の名字《みょうじ》から、自然《しぜん》に四月一日《しがつついたち》を連想《れんそう》できたのだろう。

「あんたの名前《なまえ》を記《しる》したあの手帳《てちょう》が、死体《したい》から離《はな》れた場所《ばしょ》に落《お》ちていたって事《こと》は…腹《はら》を刺《さ》して殺《ころ》したと思《おも》ったホヅミさんが手帳《てちょう》に細工《さいく》をしてるのを見《み》て、再《ふたた》び胸《むね》を突《つ》いて止《と》めを刺《さ》し、手帳《てちょう》を奪《うば》って逃《に》げたが、四月一日《しがつついたち》の意味《いみ》がわからず途中《とちゅう》で捨《す》てちまったって所《ところ》かな？」

「何《なん》だ…何《なん》なんだ、お前《まえ》は⁉」

声《こえ》を荒《あら》らげる綿貫《わたぬき》を、コナンは不敵《ふてき》に見《み》おろした。

「江戸川《えどがわ》コナン！　探偵《たんてい》さ‼」

そう告《つ》げて、腕時計《うでどけい》についた麻酔銃《ますいじゅう》の針《はり》を向《む》ける。

「ホォ〜〜〜…ならばわかるか探偵小僧《たんていこぞう》？　なぜワシが死体《したい》を放置《ほうち》したまま逃《に》げたか…」

「もう暗《くら》かったから人《ひと》は来《こ》ないと踏《ふ》んで、準備《じゅんび》を整《ととの》えてから夜中《よなか》に始末《しまつ》しに来《く》る算段《さんだん》だったんだろ？」

「ああ…そうじゃ…」

うなずくと、綿貫《わたぬき》は一段《いちだん》と声《こえ》を低《ひく》くして続《つづ》けた。

「この者共《ものども》と一緒《いっしょ》になァ‼」

ザッ、と綿貫《わたぬき》の背後《はいご》の林《はやし》から、男《おとこ》たちが姿《すがた》を現《あらわ》した。

（40…いや50人《にん》はいる…何《なん》だ⁉　こいつら…）

コナンは腕時計型麻酔銃《うでどけいがたますいじゅう》を構《かま》えたまま、集《あつ》まった男《おとこ》たちの様子《ようす》をうかがった。五十人以上《ごじゅうにんいじょう》の男《おとこ》たちは、いずれも手《て》に刀《かたな》や鉄《てつ》パイプなどの武器《ぶき》を携《たずさ》えている。死体《したい》を発見《はっけん》したときにコナンが感《かん》じた複数《ふくすう》の人間《にんげん》の気配《けはい》は、彼《かれ》らのものだったのだろう。

「元々《もともと》この木《き》を探《さが》させるために呼《よ》んだ兵隊《へいたい》だったが…小僧一人《こぞうひとり》にはちと数《かず》が多過《おおす》ぎたかのォ…」

綿貫《わたぬき》が、勝《か》ち誇《ほこ》って木《き》の上《うえ》のコナンを見上《みあ》げる。

確《たし》かにこの大人数《おおにんずう》を一人《ひとり》で相手《あいて》にするのでは勝《か》ち目《め》が薄《うす》い。なんとか逃《に》げきる方法《ほうほう》はないかと、コナンが考《かんが》えを巡《めぐ》らせかけたとき、蘭《らん》の呼《よ》ぶ声《こえ》がした。

「コナンく――ん‼」

（蘭《らん》⁉）

園子《そのこ》の声《こえ》も聞《き》こえる。どうやら二人《ふたり》はコナンを捜《さが》して、こちらに近《ちか》づいてきているようだ。

「もォ！　放《ほう》っといても大丈夫《だいじょうぶ》よ、あの子《こ》は！」

「ダメよー！　どーせまた持《も》ち前《まえ》の好奇心《こうきしん》で危《あぶ》ない事《こと》しようとしてるに決《き》まってんだか

ら!!」

園子《そのこ》は、コナンを捜《さが》すことよりも、京極《きょうごく》の試合《しあい》の行方《ゆくえ》の方《ほう》に気《き》を取《と》られているようだ。

園子《そのこ》が手《て》に持《も》った携帯《けいたい》TV《テレビ》からは、『さあ間《ま》もなく京極真《きょうごくまこと》の初戦《しょせん》です!!』とアナウンサーの声《こえ》が聞《き》こえてくる。

「あら…京極《きょうごく》さん、まだ出《で》てなかったの？」

蘭《らん》が、携帯《けいたい》TV《テレビ》をのぞきこむ。

「そうなのよ…なんかシードされまくってるみたいでさー…」

うれしそうに答《こた》える園子《そのこ》の背後《はいご》から、ナイフを構《かま》えた男《おとこ》が襲《おそ》いかかった。

コナンは、どこでもボール射出《しゃしゅつ》ベルトから飛《と》び出《だ》させたサッカーボールを、男《おとこ》に向《む》かって勢《いきお》いよく蹴《け》り上《あ》げた。

ゴッ！

ボールは、男《おとこ》の顔《かお》に命中《めいちゅう》した。

男《おとこ》が地面《じめん》に倒《たお》れこみ、蘭《らん》と園子《そのこ》は驚《おどろ》いて「え？」と背後《はいご》をふり返《かえ》った。木《き》から飛《と》び降《お》りたコナンが、ザッと二人《ふたり》を守《まも》って立《た》ちはだかる。

「コ、コナン君《くん》!?」

驚《おどろ》く蘭《らん》と園子《そのこ》の周《まわ》りを、綿貫《わたぬき》の集《あつ》めた男《おとこ》たちが取《と》り囲《かこ》んだ。

「ちょ、ちょっと…何《なん》なのこの人達《ひとたち》…」

園子《そのこ》が声《こえ》を震《ふる》わせる。今《いま》、この場《ば》に来《き》たばかりの蘭《らん》と園子《そのこ》には、状況《じょうきょう》が全《まった》く飲《の》みこめない。

「やれやれ…掘《ほ》る墓穴《はかあな》の数《かず》が三《みっ》つも増《ふ》えてしまったわい…」

「いい人《ひと》じゃない事《こと》は確《たし》かのようね…」

ほくそえむ綿貫《わたぬき》を見《み》て、蘭《らん》が表情《ひょうじょう》を引《ひ》き締《し》めた。

男《おとこ》の一人《ひとり》が、木刀《ぼくとう》をふり上《あ》げて、蘭《らん》へと突進《とっしん》した。

「アアアア…」

蘭《らん》は空手《からて》の構《かま》えを取《と》り、気合《きあい》をためて、襲《おそ》ってくる男《おとこ》の顔面《がんめん》を蹴《け》り上《あ》げた。男《おとこ》はたまらず、気絶《きぜつ》してしまう。続《つづ》けざまに、隣《となり》にいた男《おとこ》のあごを蹴《け》り上《あ》げ、さらに別《べつ》の男《おとこ》に肘鉄《ひじてつ》を食《く》らわせて、どちらも一撃《いちげき》で昏倒《こんとう》させてしまった。

しかし、いかに蘭《らん》が強《つよ》くても、数《かず》が多《おお》すぎる。

背後《はいご》から刀《かたな》で襲《おそ》われて、蘭《らん》は肩《かた》を浅《あさ》く切《き》られてしまった。

「くっ」

顔《かお》をゆがめた蘭《らん》を、コナンが背中《せなか》にかばう。痛《いた》そうに肩《かた》を押《お》さえる蘭《らん》の姿《すがた》を見《み》て、園子《そのこ》が「蘭《らん》!?」と血相《けっそう》を変《か》えた。

蘭《らん》を襲《おそ》った男《おとこ》が持《も》っているのは、木刀《ぼくとう》ではなく本物《ほんもの》の白刃《しらは》だ。

(真剣《しんけん》…)

血《ち》の付《つ》いた刀身《とうしん》を見《み》て、コナンはぎりっと奥歯《おくば》を噛《か》みしめた。

(数《かず》が多過《おおす》ぎる…)と、蘭《らん》は悔《くや》しげに周囲《しゅうい》の男《おとこ》たちを見回《みまわ》した。

『日本《にっぽん》が誇《ほこ》る京極真《きょうごくまこと》!　いよいよ登場《とうじょう》です!!』

園子《そのこ》が手《て》に持《も》っている携帯《けいたい》TV《テレビ》から、アナウンサーの声《こえ》がひびく。ようやく京極《きょうごく》の試合《しあい》が始《はじ》まるらしい。

(真《まこと》さん…真《まこと》さん…)

園子《そのこ》は目《め》に涙《なみだ》を浮《う》かべて、試合《しあい》に臨《のぞ》もうとしている京極《きょうごく》へと呼《よ》びかけた。

「お願《ねが》い、力《ちから》を貸《か》して…真《まこと》さーん!!!」

その時《とき》、男《おとこ》たちの集団《しゅうだん》の後《うし》ろから、ドゥッと物音《ものおと》がした。

一人《ひとり》の男《おとこ》の身体《からだ》が、宙《ちゅう》を飛《と》んでドシンと地面《じめん》に落《お》ちる。

それを皮切《かわき》りに、男《おとこ》たちの身体《からだ》が次々《つぎつぎ》と、何者《なにもの》かに殴《なぐ》り飛《と》ばされたかのように舞《ま》い上《あ》がっていった。

（あの向《む》こう…何《なに》かいる…）

コナンは警戒《けいかい》して、男《おとこ》たちを紙《かみ》きれのように吹《ふ》き飛《と》ばしていく何者《なにもの》かの様子《ようす》をうかがった。

『え？　京極真《きょうごくまこと》が試合会場《しあいかいじょう》に来《き》ていない？』

携帯《けいたい》TV《テレビ》から、アナウンサーのあわてた声《こえ》が聞《き》こえてくる。

『三日前《みっかまえ》から行方不明《ゆくえふめい》!?　じゃあ彼《かれ》は一体《いったい》どこに!?』

呆然《ぼうぜん》とする園子《そのこ》の目《め》の前《まえ》で、武器《ぶき》を持《も》った男《おとこ》たちが、次々《つぎつぎ》と倒《たお》されていく。

三方向《さんほうこう》から同時《どうじ》に襲《おそ》いかかってきた男《おとこ》たちの攻撃《こうげき》を、真上《まうえ》に飛《と》んでかわし、園子《そのこ》を背中《せなか》にかばって着地《ちゃくち》したのは——京極真《きょうごくまこと》だった。

「ま…真《まこと》さん!?　何《なん》で？」

園子《そのこ》が、言葉《ことば》を失《うしな》って立《た》ちつくす。コナンも、驚《おどろ》きに目《め》を丸《まる》くしていた。

「あ、いや、実《じつ》は…」

京極《きょうごく》が、照《て》れたように園子《そのこ》の方《ほう》をふり返《かえ》って説明《せつめい》を始《はじ》めたので、園子《そのこ》はあわてて「前《まえ》！前《まえ》!!」と指《ゆび》さした。刃物《はもの》を構《かま》えた男《おとこ》が、京極《きょうごく》に向《む》かって来《き》ていたのだ。

京極《きょうごく》は、男《おとこ》の顔面《がんめん》に軽々《かるがる》と蹴《け》りを入《い》れて倒《たお》すと、「つまりその…」と、再《ふたた》び園子《そのこ》の方《ほう》をふり返《かえ》る。

「後《うし》ろ！ 後《うし》ろ!!」

京極《きょうごく》の背後《はいご》で、別《べつ》の男《おとこ》が刀《かたな》をふりかぶっている。

京極《きょうごく》は男《おとこ》の腹《はら》をパゴッと蹴《け》とばし、また、せわしなく園子《そのこ》へと顔《かお》を向《む》けた。

「要《よう》するに…」

「ワケは後《あと》でいいから！」

園子《そのこ》があきれて叫《さけ》ぶ。

園子《そのこ》と会話《かいわ》をしながら、男《おとこ》たちを次々《つぎつぎ》と倒《たお》していく京極《きょうごく》の姿《すがた》を見《み》て、綿貫《わたぬき》は「ガキ共《ども》が…」と声《こえ》を震《ふる》わせた。

「ナメた真似《まね》を…」

そう言《い》って、懐《ふところ》から取《と》り出《だ》したのは、拳銃《けんじゅう》だ。

しかし、次《つぎ》の瞬間《しゅんかん》、ドゴッと蘭《らん》のカカト落《お》としを脳天《のうてん》に食《く》らって、そのまま気絶《きぜつ》してしまった。

その後《ご》、死闘《しとう》は10分《ぷん》ぐらい続《つづ》き、電話《でんわ》で呼《よ》んだ山村刑事《やまむらけいじ》が到着《とうちゃく》した時《とき》には、全《すべ》てが片付《かたづ》いていた。

後《あと》でわかった事《こと》だがこの男《おとこ》たちは泥参会《でいさんかい》の組員《くみいん》で、綿貫《わたぬき》というあのジイさんはその幹部《かんぶ》。

そして、白骨死体《はっこつしたい》も同《おな》じ組《くみ》の幹部《かんぶ》だった。

どうやら綿貫《わたぬき》は、組長《くみちょう》の跡目《あとめ》争《あらそ》いをしていたその幹部《かんぶ》を密《ひそ》かに殺害《さつがい》し、ここに埋《う》めていたらしい。つまり、ジイさんが刑務所《ムショ》から出《で》て来《き》ても、組《くみ》からの手荒《てあら》い歓迎《かんげい》が待《ま》ってるというわけだ。まあ出《で》られたらの話《はなし》だが…。

綿貫《わたぬき》や男《おとこ》たちが逮捕《たいほ》され、事件《じけん》は無事《ぶじ》に解決《かいけつ》し、コナンたちは、迎《むか》えに来《き》た阿笠博士《あがさはかせ》の車《くるま》で帰路《きろ》へとついた。もちろん京極《きょうごく》も一緒《いっしょ》だ。

「しかし、まるでスーパーマンじゃのォ！　園子君《そのこくん》の危機《きき》を察知《さっち》して飛《と》んで来《く》るとは…」

阿笠博士《あがさはかせ》に褒《ほ》められ、助手席《じょしゅせき》の京極《きょうごく》は「いえ…」と謙遜《けんそん》した。

「自分《じぶん》は園子《そのこ》さんのメールに書《か》いてあった待《ま》ち合《あ》わせ場所《ばしょ》に行《い》っただけで…」

「じゃあ、わかったんですね？　『冬《ふゆ》の紅葉《もみじ》』であの場所《ばしょ》が？」

蘭《らん》に聞《き》かれて、京極《きょうごく》が照《て》れたように顔《かお》を赤《あか》らめた。

「実《じつ》はあのドラマ、妹《いもうと》に頼《たの》まれてビデオに録《と》っていたんですが…恥《は》ずかしながらはまってしまいまして…」

「でもわたし、メールに書《か》いてなかった？　今度《こんど》のイヴイヴに待《ま》ってるって…」

「そのイヴイヴという言葉《ことば》の方《ほう》がわからなくて…」

京極《きょうごく》の答《こた》えに、園子《そのこ》が「え？」と目《め》を丸《まる》くする。

コナンは、(クリスマスイヴの前日《ぜんじつ》の事《こと》だって…)と、こっそり突《つ》っ込《こ》んだ。

「聞《き》くは一時《いっとき》の恥《はじ》だと思《おも》ったんですが…それでは男《おとこ》が廃《すた》ると思《おも》い直《なお》し…あそこにテントを張《は》って待《ま》つ事《こと》に決《き》めたんです…。その日《ひ》が来《く》るまでずっと…」

そう言《い》うと、京極《きょうごく》は苦笑《にがわら》いして、「少々無謀《しょうしょうむぼう》でしたか？」と首《くび》をかしげた。

「ううん全然《ぜんぜん》♡」

園子《そのこ》が満面《まんめん》の笑《え》みでこたえる。京極《きょうごく》は、園子《そのこ》との約束《やくそく》を守《まも》るために、空手《からて》の国際大会《こくさいたいかい》をすっぽかしてまで、ずっと待《ま》っていたのだ。

(自由《じゆう》だな、この男《おとこ》…)

と、コナンはいよいよあきれていた。

「それはそうと園子《そのこ》さん…そのだらしのないスカートのはき方《かた》はいかがなものかと…」

お腹《なか》の出《で》た園子《そのこ》の服装《ふくそう》を見《み》て、京極《きょうごく》が、いつものように苦言《くげん》を呈《てい》する。

「ローライズよ！　最初《さいしょ》からこーなってんの！」

言《い》い返《かえ》す園子《そのこ》は、どこかうれしそうだった。

「でもすごいです！　園子《そのこ》のために連勝記録《れんしょうきろく》を止《と》めてまで来《く》るなんて…」

「うんうん。園子《そのこ》、超《ちょう》カンゲキ♡」

園子《そのこ》がニヤついてうなずく。しかし京極《きょうごく》は、蘭《らん》に言《い》われて大会《たいかい》のことを思《おも》い出《だ》したのか、

「え？」と落《お》ち着《つ》かなげにつぶやいて、車《くるま》のラジオを付《つ》けた。

『さあ欧州《ヨーロッパ》空手《から て》道王者選手権《どうおうじゃせんしゅけん》！　ベスト4《フォー》が出揃《でそろ》いました！　この中《なか》に京極真《きょうごくまこと》がいないのは実《じつ》に残念《ざんねん》です！』

大会《たいかい》の実況《じっきょう》を聞《き》いた京極《きょうごく》は、運転席《うんてんせき》の阿笠博士《あがさはかせ》に声《こえ》をかけた。

「すみませんが車《くるま》を成田《なりた》に…」

「え？」

蘭《らん》と阿笠博士《あがさはかせ》が、きょとんとする。

「まさか会場《かいじょう》に戻《もど》る気《き》？」

園子《そのこ》に聞《き》かれ、京極《きょうごく》は大《おお》まじめにうなずいた。

「ええ…優勝者《ゆうしょうしゃ》と手合《てあ》わせしてどちらが強《つよ》いかを…」

（まだ戦《たたか》う気《き》かよ…）

四十人以上《よんじゅうにんいじょう》もの男《おとこ》を倒《たお》したばかりだというのに——コナンは、京極《きょうごく》のあくなき向上心《こうじょうしん》を目《ま》のあたりにして、苦笑《にがわら》いするしかなかった。

容《よう》疑《ぎ》者《しゃ》か京《きょう》極《ごく》真《まこと》

DETECTIVE
CONAN

MAKOTO KYŌGOKU SELECTION

雨《あめ》の降《ふ》りしきる週末《しゅうまつ》。

コナンは、蘭《らん》と園子《そのこ》、そして蘭《らん》たちのクラスメイトで高校生探偵《こうこうせいたんてい》の世良真純《せらますみ》とともに、ボウリング場《じょう》へと遊《あそ》びに来《き》ていた。

「やったー、ストライク♪」

全《すべ》てのボウリングピンを一発《いっぱつ》で倒《たお》して、蘭《らん》はうれしそうにガッツポーズをした。

「さすが蘭《らん》！」

園子《そのこ》が声《こえ》をはずませる。

世良《せら》も「やるなあ！」と感心《かんしん》した様子《ようす》だ。

「テニスは残念《ざんねん》だったけどボウリングも楽《たの》しいね！」

蘭《らん》が楽《たの》しげに言《い》う。もともとはテニスをする予定《よてい》だったのだが、あいにくの雨《あめ》のため、急《きゅう》きょボウリングに切《き》り替《か》えたのだった。

（まあ、ミニスカテニスギャルが拝《おが》めなくて、やけ酒《ざけ》飲《の》んでるオヤジも一名《いちめい》いるけど…）

コナンは、ちらりと小五郎《こごろう》の方《ほう》をふり返《かえ》った。小五郎《こごろう》はテニスコートに行《い》けなかったことですっかりふてくされて、ボウリングには参加《さんか》せず、後《うし》ろの席《せき》に座《すわ》ってグビグビと酒《さけ》をあおっているのだった。

蘭《らん》の次《つぎ》は、コナンがボールを投《な》げる番《ばん》だ。

「ホラ！　コナン君《くん》も頑張《がんば》って！」

「うん！」

蘭《らん》に促《うなが》され、コナンはボールを取《と》ってレーンに立《た》った。蘭《らん》が、励《はげ》ますようにコナンの肩《かた》に触《ふ》れ、その感触《かんしょく》につい照《て》れてしまう。

世良《せら》は、隣《となり》に座《すわ》る園子《そのこ》に「それで？」と顔《かお》を向《む》けて聞《き》いた。

「誰《だれ》なんだよ？　ボクに会《あ》わせたい人《ひと》って！」

「ああ、それは…土砂降《どしゃぶ》りのテニスコートで4時間《じかん》も待《ま》ってた人《ひと》よ！　今着替《いまきが》えててもうすぐ来《く》ると思《おも》うから…」

園子《そのこ》が、はぐらかして答《こた》える。すると世良《せら》が、自分《じぶん》の頬《ほお》を、ぷにっと園子《そのこ》にくっつけてきた。

「勿体《もったい》ぶらずに教《おし》えてくれよ～！　この雨《あめ》の中《なか》バイク飛《と》ばして来《き》たんだからさ！」

世良《せら》は今日《きょう》、園子《そのこ》に「会《あ》わせたい人《ひと》がいる」という理由《りゆう》で呼《よ》び出《だ》されているのだ。

園子《そのこ》とじゃれあう世良《せら》の肩《かた》を、突然《とつぜん》、日《ひ》に焼《や》けた男《おとこ》の手《て》がガッとつかんだ。

「へ？」

世良《せら》が驚《おどろ》いて視線《しせん》を向《む》ける。

そこには、黒縁眼鏡《くろぶちめがね》をかけた男《おとこ》が無言《むごん》で立《た》っていて、猛獣《もうじゅう》のような目《め》つきでこちらをじっとにらみつけていた。濡《ぬ》れた髪《かみ》にタオルをかぶっている。

「何《なん》だお前《まえ》…ボクとやろう…てのか!?」

世良《せら》は椅子《いす》の背《せ》を飛《と》び越《こ》えると、眼鏡《めがね》の男《おとこ》の頭《あたま》めがけて右足《みぎあし》をふり上《あ》げた。

しかし眼鏡《めがね》の男《おとこ》は、腰《こし》を落《お》としてヒュッと簡単《かんたん》によけてしまう。

世良《せら》は続《つづ》けて手刀《てがたな》をたたきこもうとしたが、すばやく反応《はんのう》した眼鏡《めがね》の男《おとこ》は、パシッと世《せ》良《ら》の腕《うで》を受《う》け止《と》めて防御《ぼうぎょ》した。

(截拳道《ジークンドー》…)

眼鏡《めがね》の男《おとこ》はすぐに、世良《せら》が截拳道《ジークンドー》の使《つか》い手《て》であることを察知《さっち》して、反撃《はんげき》に出《で》た。ヒュッと蹴《け》り上《あ》げた男《おとこ》の右足《みぎあし》を、世良《せら》は左腕《ひだりうで》でガードして受《う》け止《と》めたが、勢《いきお》いあまってそのまま吹《ふ》っ飛《と》ばされてしまった。

「おもしれぇ!!　ぶちのめしてやる!!」

強敵《きょうてき》を前《まえ》にして、世良《せら》はすっかり興奮《こうふん》している。蘭《らん》はあわてて止《と》めに入《はい》った。

「あ、違《ちが》うの世良《せら》さん!! その人《ひと》よ! 園子《そのこ》が世良《せら》さんに会《あ》わせたかった人《ひと》って!!」

「え?」

世良《せら》は、眼鏡《めがね》の男《おとこ》と向《む》き合《あ》ったまま、きょとんとして動《うご》きを止《と》めた。

戦《たたか》いを黙《だま》って見《み》ていた園子《そのこ》は、うれしそうに、二人《ふたり》の間《あいだ》に割《わ》って入《はい》った。

「私《わたし》の彼《かれ》の京極真《きょうごくまこと》さん! 彼女《かのじょ》はクラスメイトの世良真純《せらますみ》さんよ!」

世良《せら》が女《おんな》だと知《し》って、京極《きょうごく》の目《め》がテンになった。

「じょ、女性《じょせい》でしたか…てっきり園子《そのこ》さんにからんでる不埒《ふらち》な男《おとこ》かと…」

「気《き》にしなくていいよ! 男《おとこ》に間違《まちが》われるのはいつもの事《こと》だから!」

世良《せら》が明《あか》るく言《い》う。ボーイッシュな世良《せら》は、勝気《かちき》な性格《せいかく》もあって、いつも男性《だんせい》と間違《まちが》えられてしまうのだ。初対面《しょたいめん》で彼女《かのじょ》を女《おんな》だと見抜《みぬ》く人《ひと》はまずいない。

「はい、眼鏡《めがね》!」

コナンが、戦《たたか》いの途中《とちゅう》で吹《ふ》き飛《と》んだ眼鏡《めがね》を京極《きょうごく》に手渡《てわた》す。京極《きょうごく》は「かたじけない…」と古風《こふう》なお礼《れい》を言《い》って受《う》け取《と》った。

「もォ! 園子《そのこ》も早《はや》く止《と》めてよね!」

「だってー、2人《り》が戦《たたか》うトコ見《み》てみたかったんだもん！」

蘭《らん》が注意《ちゅうい》するが、園子《そのこ》は全《まった》く悪《わる》びれない。

「截拳道《ジークンドー》…誰《だれ》に教《おそ》わったんですか？」

京極《きょうごく》が、眼鏡《めがね》をかけながら世良《せら》に聞《き》いた。

「兄《あに》だよ！　まぁ兄《あに》の方《ほう》がボクより3倍《ばい》は強《つよ》かったけどね…」

「で、でもお兄《にい》さんって亡《な》くなったって言《い》ってなかったっけ？」

コナンが、あわてたように口《くち》をはさんで聞《き》いた。

「ああ…そう聞《き》いてるよ…」

「で、でもさー、この前《まえ》、世良《せら》の姉《ねえ》ちゃん、お兄《にい》さんに電話《でんわ》を…」

「あー―！　あの電話《でんわ》聞《き》いてたのか？」

コナンが言《い》っているのは、以前《いぜん》、とある事件《じけん》に居合《いあ》わせたときに、世良《せら》がどこかへかけていた電話《でんわ》のことだ。蘭《らん》の母《はは》である妃英理《きさきえり》が、「名前《なまえ》の後《あと》に『兄《あに》』って付《つ》けて話《はな》してたから…お兄《にい》さんじゃないかしら？」と、世良《せら》の電話《でんわ》の相手《あいて》について話《はな》していたのだ。

「もう1人《り》いるんだよ！　頭《あたま》、キレキレの真《ま》ん中《なか》の兄貴《あにき》が…死《し》んだ兄《あに》やボクとは違《ちが》ってパパ似《に》だからボクとは似《に》てないんだけど…何《なん》か今《いま》、大事《だいじ》な仕事《しごと》の真《ま》っ最中《さいちゅう》らしくて居場所《いばしょ》とかちっとも教《おし》えてくれないけど…たまに電話《でんわ》やメールで推理《すいり》の相談《そうだん》に乗《の》ってもらってるよ！」

そう言《い》うと、世良《せら》はコナンの顔《かお》を意味深《いみしん》に見《み》つめて続《つづ》けた。

「この前《まえ》の事件《じけん》もその兄《あに》にボクの推理《すいり》は危《あや》ういって言《い》われたんだけど…君《きみ》もいるから間違《まちが》ってたら修正《しゅうせい》してくれるかなって…」

「あ、ボクじゃなくて新一兄《しんいちにい》ちゃんがね！」

コナンはあわてて訂正《ていせい》した。小学生《しょうがくせい》のコナンが、高校生探偵《こうこうせいたんてい》である世良《せら》の推理《すいり》を修正《しゅうせい》するなんて――まるで、コナンが本当《ほんとう》は子供《こども》ではないと知《し》っていて、カマをかけているような言《い》い方《かた》だ。

コナンは疑《うたが》わしげに、世良《せら》の顔《かお》を見《み》つめた。

（まさかコイツ…オレが工藤新一《くどうしんいち》だって事《こと》を知《し》ってんじゃ…）

一方《いっぽう》、京極《きょうごく》はコホンと咳払《せきばら》いをひとつして、園子《そのこ》から目《め》をそらしながら切《き》り出《だ》した。

「…ところで園子《そのこ》さん…その服《ふく》は洗濯《せんたく》に失敗《しっぱい》したんですか？」

「え？　失敗《しっぱい》？」

「襟元《えりもと》が伸《の》びきって下着《したぎ》が見《み》えてしまってますよ？」

相変《あいか》わらず、京極《きょうごく》は園子《そのこ》の服装《ふくそう》に厳《きび》しい。

「これはオフショルダーって言《い》ってわざと見《み》せてるのよ！　見《み》せブラだし！」

園子《そのこ》があきれて言《い》い返《かえ》すのも、すっかりおなじみのやり取《と》りだ。

二人《ふたり》の会話《かいわ》をほほえましく聞《き》いていた蘭《らん》は、ふと、京極《きょうごく》の手《て》の甲《こう》にすり傷《きず》があることに気《き》が付《つ》いた。

「それより京極《きょうごく》さん、右手《みぎて》の甲《こう》から血《ち》が出《で》てますけど、まさかさっき世良《せら》さんとやり合《あ》った時《とき》に…」

「いや、これはさっき外《そと》で…」

説明《せつめい》しようとした京極《きょうごく》に、一人《ひとり》の見知《みし》らぬ女性《じょせい》が「あのー…」と声《こえ》をかけた。

「さっきはすみませんでした‼　大丈夫《だいじょうぶ》でしたか？」

縁《ふち》のない眼鏡《めがね》をかけ、髪《かみ》を二《ふた》つに結《むす》んだ女性《じょせい》——門奈道子《もんなみちこ》だ。三十歳《さんじっさい》で、中学校《ちゅうがっこう》の数学《すうがく》教師《きょうし》をしているという。

「いえ…僕《ぼく》の方《ほう》はかすり傷《きず》なので…それより彼《かれ》の方《ほう》は？」

「平気《へいき》です…自業自得《じごうじとく》なので…。今《いま》、連《つ》れが車《くるま》で運《はこ》んでます…」

京極《きょうごく》と門奈《もんな》のやり取《と》りを聞《き》いて、園子《そのこ》は怪訝《けげん》そうに「何《なに》かあったの？」と京極《きょうごく》に聞《き》いた。

「さっき着替《きが》えの服《ふく》を買《か》いに出《で》た時《とき》に、この方《かた》の連《つ》れの男性《だんせい》にからまれてみぞおちに一発《いっぱつ》……」

京極《きょうごく》は、雨《あめ》の降《ふ》るテニスコートで園子《そのこ》たちが来《く》るのを四時間《よじかん》も待《ま》っていたので、ここへ来《き》たときにはすっかり服《ふく》が濡《ぬ》れてしまっていたのだ。そこで、まずは服《ふく》を買《か》いに向《む》かったのだが、その時《とき》に門奈《もんな》の連《つ》れの男性《だんせい》にからまれたため、みぞおちに一発《いっぱつ》入れて黙《だま》らせてしまったらしい。

「彼《かれ》…ああ見《み》えて中学校《ちゅうがっこう》の体育教師《たいいくきょうし》なんです！」

黒髪《くろかみ》をショートカットにした女性《じょせい》が、京極《きょうごく》たちの会話《かいわ》に入《はい》ってきた。正木《まさき》すなみ、二十《にじゅう》九歳《きゅうさい》。中学校《ちゅうがっこう》の理科教師《りかきょうし》で、門奈《もんな》の同僚《どうりょう》だ。

「普段《ふだん》は真面目《まじめ》な先生《せんせい》なんですけど…丹波先生《たんばせんせい》、酒《さけ》が入《はい》ると人《ひと》が変《か》わっちゃって…」

「彼《かれ》、どうしてる？」

門奈《もんな》が聞《き》くと、正木《まさき》は顔《かお》をしかめた。

「車《くるま》の中《なか》で寝《ね》ちゃったわ…寝言《ねごと》で『あの野郎《やろう》、ぶっ殺《ころ》してやる』ってつぶやいてたけど……」

あの野郎《やろう》、とは、自分《じぶん》を返《かえ》り討《う》ちにした京極《きょうごく》のことだろう。京極《きょうごく》が気《き》まずそうに苦笑《にがわら》いする。

「それよりこの後《あと》どうする？」

「そーねぇ…本当《ほんとう》は彼《かれ》にボウリング教《おし》えてもらう予定《よてい》だったけど…」

門奈《もんな》と正木《まさき》が話《はな》していると、小五郎《こごろう》がおもむろににじり寄《よ》ってきて、

「先生方《せんせいがた》…お困《こま》りでしたら…」

と、気取《きど》って声《こえ》をかけた。


小五郎《こごろう》は、車《くるま》の中《なか》で寝《ね》ているという丹波《たんば》に代《か》わって、正木《まさき》と門奈《もんな》にボウリングを教《おし》え始《はじ》めた。しかし、それは親切心《しんせつしん》からの行動《こうどう》ではなく、どうやら下心《したごころ》があったらしい。

「腰《こし》ですよ、腰《こし》♡　腰《こし》をもっとこっちに♡　ボールを持《も》った時《とき》、軸足《じくあし》とボールと頭《あたま》が一直《いっちょく》線《せん》になるようにね♡」

小五郎《こごろう》はフォームを教《おし》えるのにかこつけて、ニヤケ顔《がお》で門奈《もんな》の身体《からだ》に触《さわ》っていた。

「は、はい…」

門奈《もんな》は、小五郎《こごろう》に言《い》われたとおりのフォームでボールを投《な》げた。すると、カコォンと全《すべ》

てのピンが倒《たお》れて、ストライクが出《で》てしまった。

「わっ！　すごーい!!」

喜《よろこ》ぶ門奈《もんな》に、小五郎《こごろう》が「そうそう、見事見事《みごとみごと》！」と拍手《はくしゅ》を送《おく》る。そして、今度《こんど》は座《すわ》って
いた正木《まさき》の隣《となり》に腰《こし》を下《お》ろして、肩《かた》を抱《だ》き寄《よ》せた。

「いやぁ！　先生方《せんせいがた》にご教授《きょうじゅ》できるとは…光栄《こうえい》の至《いた》りでありにゃーす！」

「あ、はい…」

正木《まさき》が控《ひか》えめに返事《へんじ》をする。

小五郎《こごろう》が「ナァーッハッハッ!!」と背中《せなか》をそらして笑《わら》い声《ごえ》を上《あ》げるのを見《み》ながら、

(あのオヤジ…いつかセクハラで捕《つか》まるな…)

と、あきれるコナンだった。

コナンたちのレーンでは、京極《きょうごく》がボールを投《な》げる番《ばん》だ。

「真《まこと》さんガンバってー♡」

園子《そのこ》から声援《せいえん》を送《おく》られ、京極《きょうごく》は動揺《どうよう》して、手《て》からボールがすっぽ抜《ぬ》けてしまった。

ドゴッ！

ボールは、並《なら》んだピンのはるか上《うえ》を飛《と》び、ボウリング場《じょう》の壁《かべ》にめりこんでヒビを入《い》れた。

その勢《いきお》いのまま、ガンと下《した》に落《お》ち、レーンも粉砕《ふんさい》してしまう。

「え？」

京極《きょうごく》の怪力《かいりき》を見慣《みな》れているはずの園子《そのこ》も、これにはさすがに青《あお》ざめた。

(この男《おとこ》はいつか器物損壊罪《きぶつそんかいざい》で捕《つか》まりそうだ…)

コナンが、内心《ないしん》でつぶやく。

「やはり自分《じぶん》にはこういう小洒落《こじゃれ》た競技《きょうぎ》は向《む》かないようで…」

あわあわと冷《ひ》や汗《あせ》をかく京極《きょうごく》に「そ、そうね…」と園子《そのこ》が困《こま》り気味《ぎみ》に同意《どうい》した。

「今日《きょう》、帰国《きこく》したばかりで少々時差《しょうしょうじさ》ボケも…」

「じゃあお父《とう》さんのレンタカーで仮眠《かみん》を取《と》ります？」

そう言《い》って、蘭《らん》は京極《きょうごく》に、車《くるま》の鍵《かぎ》を差《さ》し出《だ》した。

「わたし、車《くるま》のキー預《あず》かってましたから…」

「では…お言葉《ことば》に甘《あま》えて…」

鍵《かぎ》を受《う》け取《と》ると、京極《きょうごく》は「ふぁ…」とあくびをしながら、駐車場《ちゅうしゃじょう》へと歩《ある》いていった。

「もォー、せっかく真《まこと》さんとデートなのに…」

ぼやく園子《そのこ》を、蘭《らん》が「まぁこの後《あと》、食事《しょくじ》もするし！」となだめる。

園子《そのこ》たちの隣《となり》のレーンにいた門奈《もんな》も、京極《きょうごく》と同《おな》じタイミングで席《せき》を立《た》っていた。

「あら、道子《みちこ》どこ行《い》くの？」

正木《まさき》が声《こえ》をかける。

「丹波先生《たんばせんせい》の様子見《ようすみ》て来《く》るわ…ちょっと心配《しんぱい》だから…」

そう言《い》って、駐車場《ちゅうしゃじょう》へ向《む》かった門奈《もんな》だが、すぐに戻《もど》ってきてしまった。車《くるま》の中《なか》に、丹波《たんば》がいなかったというのだ。

門奈《もんな》からそのことを聞《き》き、正木《まさき》は目《め》を丸《まる》くして「ええっ!?」と叫《さけ》んだ。

「いない!?　丹波先生《たんばせんせい》、車《くるま》に乗《の》ってなかったの？」

「ええ…車《くるま》を抜《ぬ》け出《だ》してどこかに行《い》ったみたい…」

「じゃあどうしてこのボウリング場《じょう》に来《こ》ないのよ!?」

「さぁ…」

門奈《もんな》は首《くび》をひねると、思《おも》いついたように付《つ》け加《くわ》えた。

「もしかしたら車《くるま》の陰《かげ》とかで寝《ね》てるのかも…」

「冗談止《じょうだんや》めてよ！　ずっと雨降《あめふ》り続《つづ》いてるのよ？」

「そ、そうだけど…」

言《い》いあう二人《ふたり》に、小五郎《こごろう》が、ニヒルな笑《え》みを浮《う》かべて声《こえ》をかけた。

「あの──人捜《ひとさが》しでしたら…この毛利小五郎《もうりこごろう》にお任《まか》せを…」

「父《ちち》は探偵《たんてい》ですので…」

蘭《らん》がひかえめに補足《ほそく》すると、門奈《もんな》と正木《まさき》は、同時《どうじ》に目《め》を見開《みひら》いた。

「も、毛利小五郎《もうりこごろう》って…」

「あの名探偵《めいたんてい》の!?」


ぜひ丹波《たんば》を捜《さが》すのを手伝《てつだ》ってほしいと頼《たの》まれ、小五郎《こごろう》たちは、門奈《もんな》と正木《まさき》と一緒《いっしょ》にボウリング場《じょう》の外《そと》へと出《で》た。雨《あめ》が降《ふ》る中《なか》、いなくなった丹波《たんば》を捜《さが》して、駐車場中《ちゅうしゃじょうじゅう》を歩《ある》き回《まわ》る。

「丹波先生《たんばせんせい》～!?　いらっしゃいますか～!?」

「丹波先生《たんばせんせい》～!!」

声《こえ》をかけてまわるが、丹波《たんば》の姿《すがた》は見《み》つからない。

「ダメだ!　車《くるま》の陰《かげ》にはいねぇ!!」

車《くるま》の間《あいだ》を見《み》てまわっていた小五郎《こごろう》が言《い》う。

「ひょっとしたらどこかの店《みせ》で飲《の》み直《なお》してるのかも…」

門奈《もんな》がぼそりとつぶやくと、正木《まさき》は表情《ひょうじょう》をくもらせた。

「まさかまた別《べつ》の人《ひと》にくだを巻《ま》いているんじゃ…」

「じゃあ店《みせ》を捜《さが》しましょう！」

そう言《い》うと、小五郎《こごろう》は、駐車場《ちゅうしゃじょう》まで着《つ》いてきた蘭《らん》と園子《そのこ》、世良《せら》、そしてコナンの方《ほう》をふり返《かえ》った。

「おい！　お前《まえ》らも店回《みせまわ》って捜《さが》すの手伝《てつだ》え！」

「えー？」

「でもどうやって？」

「ボクらその人《ひと》の顔《かお》知《し》らないし…」

園子《そのこ》、蘭《らん》、そして世良《せら》が口々《くちぐち》に言《い》う。

「これが彼《かれ》の写真《しゃしん》…よかったら転送《てんそう》しましょうか？」

門奈《もんな》が手《て》に持《も》った携帯電話《けいたいでんわ》には、丹波《たんば》の写真《しゃしん》が表示《ひょうじ》されている。

「あぁ…」

世良《せら》がうなずく。

園子《そのこ》は、駐車場《ちゅうしゃじょう》を見回《みまわ》して「ねぇ…」と蘭《らん》に声《こえ》をかけた。

「ウチらのレンタカーもこの駐車場《ちゅうしゃじょう》に停《と》めてたよね？」

「うん…そだね…」

レンタカーの中《なか》では、京極《きょうごく》が仮眠《かみん》を取《と》っているはずだ。


それから、門奈《もんな》と正木《まさき》、世良《せら》と蘭《らん》と園子《そのこ》とコナン、そして小五郎《こごろう》は、それぞれ別行動《べつこうどう》で近隣《きんりん》の店《みせ》をまわった。丹波《たんば》の写真《しゃしん》を見《み》せ、この男《おとこ》が来《き》ていないか尋《たず》ねるが、心当《こころあ》たりのある人《ひと》は見《み》つからない。

収穫《しゅうかく》のないまま駐車場《ちゅうしゃじょう》へと戻《もど》ってきた小五郎《こごろう》は、丹波《たんば》の画像《がぞう》に向《む》かって悪態《あくたい》をついた。

「くそっ、どこにもいねぇじゃねーか！」

世良《せら》たちも戻《もど》ってきて、「こっちもだよ！」と報告《ほうこく》する。

再《ふたた》び車《くるま》の中《なか》を確認《かくにん》しにいった門奈《もんな》たちも、沈《しず》んだ表情《ひょうじょう》で戻《もど》ってきた。

「車《くるま》にも戻《もど》ってません！」

正木《まさき》が、携帯《けいたい》を確認《かくにん》して、「携帯《けいたい》も電源切《でんげんき》ってるみたいだし…」とつぶやく。

ボウリング場《じょう》の中《なか》にも、車《くるま》の中《なか》にも、近隣《きんりん》の店《みせ》にもいない。一体《いったい》、丹波《たんば》はどこにいるのだろうか？

「ホントに…どこに行《い》っちゃったんだろーね…」

不思議《ふしぎ》そうにつぶやく蘭《らん》の背後《はいご》で、コナンは、ゴボ…という不思議《ふしぎ》な水音《みずおと》を聞《き》いた。

（ん？　何《なん》だ？　何《なん》だこの音《おと》…）

もう一度《いちど》車《くるま》の間《あいだ》を捜《さが》し、今度《こんど》は車《くるま》の下《した》ものぞきこんで、小五郎《こごろう》は「ウーーム…」と首《くび》をひねった。

「車《くるま》の下《した》も捜《さが》してみたが…やはりこの駐車場《ちゅうしゃじょう》にはいないようですな…」

「じゃあやっぱり警察《けいさつ》に捜索願《そうさくねが》いを…」

門奈《もんな》があきらめかけたとき、駐車場《ちゅうしゃじょう》の隅《すみ》で、正木《まさき》が「きっ」と引《ひ》きつった悲鳴《ひめい》を上《あ》げた。

「きゃあああああ！」

「え？」

小五郎《こごろう》が驚《おどろ》いて、へたりこんだ正木《まさき》に駆《か》け寄《よ》る。コナンと世良《せら》も後《あと》に続《つづ》いた。

「ど、どうしました⁉」

正木《まさき》は、目《め》の前《まえ》にある簡易《かんい》トイレを指《ゆび》さした。工事現場《こうじげんば》やイベント会場《かいじょう》によく置《お》いてある、電話《でんわ》ボックスほどの大《おお》きさの、移動式個室《いどうしきこしつ》トイレだ。

「トイレの扉《とびら》があいていたので開《あ》けてみたら…な、中《なか》に…た、丹波先生《たんばせんせい》が‼」

トイレの中《なか》では、全身《ぜんしん》びしょ濡《ぬ》れになった男性《だんせい》が、白目《しろめ》をむいて洋式便座《ようしきべんざ》に座《すわ》りこんでいる。すでに事切《ことき》れているようだ。

世良《せら》は真《ま》っ先《さき》に駆《か》け寄《よ》って、男《おとこ》の顔《かお》の様子《ようす》を確認《かくにん》した。

(眼瞼結膜《がんけんけつまく》に溢血点《いっけつてん》…口《くち》からは泡沫液《ほうまつえき》…)

コナンも、世良《せら》の後《うし》ろからのぞきこみ、(顔《かお》にむくみはなく…首《くび》には絞《し》められた跡《あと》もない…)と、死体《したい》を観察《かんさつ》する。

そして、二人《ふたり》はそれぞれ瞬時《しゅんじ》に(溺死《できし》か‼)と結論《けつろん》づけた。

しかし、溺死《できし》だとしたら、殺害現場《さつがいげんば》は一体《いったい》どこなのだろう。

コナンは、死体《したい》のズボンをまくりあげて、ロープなどで縛《しば》られた形跡《けいせき》がないか確認《かくにん》した。

しかしそれらしいものは見当《みあ》たらない。

(そして手足《てあし》に拘束《こうそく》された跡《あと》もなく、衣服《いふく》がぐっしょり濡《ぬ》れてるって事《こと》は…)

おそらく、ここへ運《はこ》ばれたときにはすでに殺《ころ》されていたのだろう。

世良《せら》も同意見《どういけん》だったが、そのことを聞《き》いた小五郎《こごろう》は「何《なに》？」と目《め》を丸《まる》くした。

「どこかで溺死《できし》させられた後《あと》、このトイレに運《はこ》ばれただと!?」

「ああ…死斑《しはん》や死後硬直《しごこうちょく》の状態《じょうたい》によると殺《ころ》されたのは1時間《じかん》ぐらい前《まえ》…丁度《ちょうど》ボクらがこの人《ひと》を捜《さが》してここから色《いろ》んな店《みせ》に向《む》かった頃《ころ》…んで、ボクらがここへ戻《もど》って来《く》る前《まえ》に、遺体《いたい》をこのトイレにぶち込《こ》んでズラかったたってわけさ！」

世良《せら》がよどみなく答《こた》えると、正木《まさき》は「そ、そんな…」と、脱力《だつりょく》してしまった。

「い、一体誰《いったいだれ》が…」

と、門奈《もんな》も力《ちから》なくつぶやく。

「この先生《せんせい》…結構体格《けっこうたいかく》がいいから複数犯《ふくすうはん》か…もしくはかなり腕《うで》っ節《ぷし》のいい奴《やつ》の犯行《はんこう》…」

冷静《れいせい》に言《い》う世良《せら》に、「あのー…」と声《こえ》をかけてきた男《おとこ》がいた。

レンタカーの中《なか》で寝《ね》ていたはずの京極《きょうごく》だ。

「何《なに》かあったんですか？」

不思議《ふしぎ》そうに聞《き》く京極《きょうごく》の方《ほう》を、一同《いちどう》は（え？）と動揺《どうよう》してふり返《かえ》った。

ずっと駐車場《ちゅうしゃじょう》にいて、かなり腕《うで》っ節《ぷし》のいい奴《やつ》――京極《きょうごく》は、どちらにも該当《がいとう》している。

通報《つうほう》を受《う》け現場《げんば》にやって来《き》たのは、山村警部《やまむらけいぶ》だった。京極《きょうごく》と顔《かお》を合《あ》わせるのは、赤《あか》いハンカチの事件以来《じけんいらい》、二回目《にかいめ》だ。

山村警部《やまむらけいぶ》がやって来《く》るまでの間《あいだ》に、雨《あめ》はやんだ。

「え――…殺害《さつがい》されたのは…中学校《ちゅうがっこう》で体育教師《たいいくきょうし》をやっていた…丹波聖泰《たんばまさひろ》さん、32歳《さい》…」

死体《したい》を確認《かくにん》しながら、声《こえ》に出《だ》して言《い》うと、山村警部《やまむらけいぶ》は正木《まさき》と門奈《もんな》の方《ほう》へ顔《かお》を向《む》けた。

「で、遺体《いたい》を発見《はっけん》したのが同《おな》じ中学《ちゅうがく》で理科《りか》の教師《きょうし》をやっている正木《まさき》すなみさん…でしたよね？」

「はい…」

「では遺体発見《いたいはっけん》の経緯《けいい》を詳《くわ》しく話《はな》してくれますか？」

正木《まさき》は「は、はい…」とうなずいて、説明《せつめい》を始《はじ》めた。

「今日《きょう》は丹波先生《たんばせんせい》と職場《しょくば》の同僚《どうりょう》のこの道子《みちこ》と3人《にん》でボウリングをする予定《よてい》だったんですけど…彼《かれ》がここへ来《く》る途中《とちゅう》の車内《しゃない》で、飲《の》んでたビールで泥酔《でいすい》しちゃって街中《まちなか》で暴《あば》れて大変《たいへん》だったから…酔《よ》いが覚《さ》めるまで寝《ね》かせておこうと道子《みちこ》の車《くるま》に連《つ》れて行《い》ったんです…」

「同僚《どうりょう》って事《こと》はあなたも中学《ちゅうがく》の先生《せんせい》なんですか？」

山村警部《やまむらけいぶ》に聞《き》かれ、門奈《もんな》は「あ、はい…」とうなずいた。

「数学《すうがく》を教《おし》えています…」

「それで？　その後《あと》は？」

「1時間程《じかんほど》、すなみとボウリングした後《あと》、彼《かれ》の様子《ようす》を見《み》に車《くるま》の所《ところ》に行《い》ったんです…。彼《かれ》…色々《いろいろ》あったから1人《り》にさせられなくて…。そうしたら車《くるま》の中《なか》にいなくて…慌《あわ》ててみんなで彼《かれ》を捜《さが》す事《こと》に…」

門奈《もんな》の説明《せつめい》に、山村警部《やまむらけいぶ》が「みんなとは？」と疑問《ぎもん》をさしはさんだ。

「それはボウリング場《じょう》で偶然知《ぐうぜんし》り合《あ》った…」

「この俺《おれ》、毛利小五郎《もうりこごろう》だよ！」

門奈《もんな》に視線《しせん》を向《む》けられ、小五郎《こごろう》は自《みずか》ら名乗《なの》った。

「いやぁ、毛利《もうり》さんでしたか！」

山村警部《やまむらけいぶ》が、声《こえ》をはずませる。小五郎《こごろう》は、山村警部《やまむらけいぶ》とはすでに顔見知《かおみし》りなのだ。

「で、駐車場《ちゅうしゃじょう》を捜《さが》し回《まわ》ったが見《み》つからず…もしかしたらどっかの店《みせ》で飲《の》み直《なお》してるんじゃないかと思《おも》って…娘達《むすめたち》と手分《てわ》けしてこの近所《きんじょ》の居酒屋《いざかや》を1時間《じかん》ぐらいかけて回《まわ》ったがどこにもいねぇってんで…またこの駐車場《ちゅうしゃじょう》に戻《もど》って来《き》たんだ…。ひょっこり車《くるま》に戻《もど》ってるかもしれねぇと思《おも》ってな…。そして思《おも》った通《とお》り…戻《もど》って来《き》てたわけだ…」

そう言《い》うと、小五郎《こごろう》は、便座《べんざ》に座《すわ》ったままの死体《したい》に目《め》をやって続《つづ》ける。

「この駐車場《ちゅうしゃじょう》のトイレの中《なか》に…冷《つめ》たい溺死体《できしたい》となってな！」

「で、溺死《できし》？」

山村警部《やまむらけいぶ》は驚《おどろ》いて、「そうなんですか？」と鑑識《かんしき》に聞《き》いた。

「はい！　解剖《かいぼう》してみないと断定《だんてい》はできませんが、遺体《いたい》の状態《じょうたい》からすると恐《おそ》らくそうかと…」

「死亡推定時刻《しぼうすいていじこく》は？」

「夕方《ゆうがた》の5時前後《じぜんご》ですね…」

5時《じ》といえば、ちょうど、近辺《きんぺん》の居酒屋《いざかや》に向《む》かい始《はじ》めた時間帯《じかんたい》だ。

「わたし達《たち》が一旦《いったん》この駐車場《ちゅうしゃじょう》を離《はな》れて居酒屋《いざかや》を回《まわ》り始《はじ》めた頃《ころ》だよね？」

蘭《らん》に聞《き》かれ、世良《せら》は「あぁ…」とうなずいた。

「しかし何《なん》で最初《さいしょ》に捜《さが》しに来《き》た時《とき》、トイレの中《なか》を調《しら》べなかったんですか？」

山村警部《やまむらけいぶ》が、不可解《ふかかい》そうに疑問《ぎもん》を口《くち》にする。

「南京錠《なんきんじょう》がかかっていたんです…ドアには『故障中《こしょうちゅう》』って貼《は》り紙《がみ》もしてありましたし…」

正木《まさき》が答《こた》えると、門奈《もんな》も「それ、私《わたし》も見《み》ました！」と同意《どうい》した。

「でも二度目《にどめ》にここに捜《さが》しに来《き》た時《とき》はその紙《かみ》がはがされていて…南京錠《なんきんじょう》もなくなっていたので…ト、トイレのドアを開《あ》けてみたら…な、中《なか》に丹波先生《たんばせんせい》が…」

正木《まさき》は途中《とちゅう》で言葉《ことば》を詰《つ》まらせ、目《め》に涙《なみだ》をにじませた。

同僚《どうりょう》の死《し》にショックを受《う》けているようだが、山村警部《やまむらけいぶ》はさして気《き》づかうことをせず、

「…という事《こと》は…」と話《はなし》を続《つづ》けた。

「被害者《ひがいしゃ》はすなみさんに車《くるま》に連《つ》れて来《こ》られてから…道子《みちこ》さんが様子《ようす》を見《み》に来《く》るまでの間《あいだ》に何者《なにもの》かに連《つ》れ去《さ》られ…毛利《もうり》さん達《たち》が居酒屋《いざかや》を回《まわ》っている頃《ころ》にどこかで溺死《できし》させられて…再《ふたた》び毛利《もうり》さん達《たち》がここへ戻《もど》る前《まえ》にトイレの中《なか》に遺体《いたい》を入《い》れたというわけですね！」

だとしたら、どうして犯人《はんにん》は、別《べつ》の場所《ばしょ》で溺死《できし》させた丹波《たんば》をわざわざこのトイレの中《なか》へと運《はこ》んできたのだろうか？

「ちなみに丹波《たんば》さんが誰《だれ》かに付《つ》け狙《ねら》われてたって事《こと》は？」

山村警部《やまむらけいぶ》に心当《こころあ》たりを聞《き》かれ、門奈《もんな》は「さぁ…」と首《くび》をかしげた。

「お酒《さけ》が入《はい》ると人《ひと》が変《か》わって誰《だれ》かれ構《かま》わずからんでましたけど…」

「だから今日《きょう》は一滴《いってき》も飲《の》まないって言《い》ってたんですけどね…」

正木《まさき》が付《つ》け加《くわ》える。

その時《とき》、死体《したい》を調《しら》べていた鑑識《かんしき》が、丹波《たんば》の服《ふく》をめくりあげ、「山村警部《やまむらけいぶ》！」と声《こえ》をかけた。

「被害者《ひがいしゃ》の腹部《ふくぶ》に打撲痕《だぼくこん》が…」

「打撲痕《だぼくこん》？」

困惑《こんわく》する山村警部《やまむらけいぶ》に、「あ、それ多分自分《たぶんじぶん》です…」と京極《きょうごく》が名乗《なの》り出《で》た。

「え？」

「酔《よ》った彼《かれ》が因縁《いんねん》をつけて殴《なぐ》りかかって来《き》たんで思《おも》わずみぞおちに…」

山村警部《やまむらけいぶ》が、「因縁《いんねん》？」と聞《き》き返《かえ》す。

「目《め》が合《あ》ったとか怒鳴《どな》ってましたけど…」

京極《きょうごく》の説明《せつめい》を聞《き》いて、山村警部《やまむらけいぶ》は「お人好《ひとよ》しですねぇ…」と笑《わら》った。

「その酔《よ》っ払《ぱら》いをあなたも毛利《もうり》さん達《たち》と捜《さが》し回《まわ》っていたんでしょ？」

「いえ…自分《じぶん》はここに停《と》めてある毛利《もうり》さんの車《くるま》の中《なか》で仮眠《かみん》を…」

ガチャ！

京極《きょうごく》の言葉《ことば》を聞《き》くなり、山村警部《やまむらけいぶ》は突然《とつぜん》、京極《きょうごく》の手首《てくび》に手錠《てじょう》をはめた。

「え？」

驚《おどろ》く京極《きょうごく》に、「あなたを殺人犯《さつじんはん》として緊急逮捕《きんきゅうたいほ》します！」と、ぴしゃりと告《つ》げる。

いきなり恋人《こいびと》が目《め》の前《まえ》で逮捕《たいほ》され、園子《そのこ》は「ええぇっ!?」とうろたえて叫《さけ》んだ。

「お、おい、待《ま》てよ山村《やまむら》…因縁《いんねん》つけられたぐらいで殺《ころ》しなんてするか？」

小五郎《こごろう》が引《ひ》きつった笑顔《えがお》を浮《う》かべて、山村警部《やまむらけいぶ》をたしなめる。

「何《なに》を言《い》ってくれちゃって…」

そう言《い》いかけた山村警部《やまむらけいぶ》は、途中《とちゅう》で「何《なに》を言《い》ってるんですか、毛利《もうり》さん！」と言《い》い直《なお》し、

「彼《かれ》は今《いま》、私《わたし》の巧《たく》みな話術《わじゅつ》で自白《じはく》したんですよ？　自分《じぶん》には動機《どうき》がありアリバイはないと!!」

と、自信満々《じしんまんまん》に決《き》めつけた。

「けどそれだけで緊逮《キンタイ》はねぇだろ？」

小五郎《こごろう》があきれて言《い》い返《かえ》す。

(相変《あいか》わらずだな、このヘッポコ…)

と、コナンも唖然《あぜん》としていた。一方的《いっぽうてき》に因縁《いんねん》をつけられたから、というだけでは動機《どうき》と

して弱《よわ》いし、アリバイがないからといってイコール犯人《はんにん》ということにはならない。

「何言《なにい》ってるの⁉　真《まこと》さんが犯人《はんにん》なわけないじゃない‼」

園子《そのこ》は、両手《りょうて》を広《ひろ》げて、京極《きょうごく》の前《まえ》に立《た》ちはだかった。京極《きょうごく》の頬《ほお》が、ぽっと赤《あか》く染《そ》まる。

自分《じぶん》が逮捕《たいほ》されるかもしれない状況《じょうきょう》なのに、園子《そのこ》にかばわれてうれしいらしい。

「では彼《かれ》の無実《むじつ》を証明《しょうめい》できるんですか？」

山村警部《やまむらけいぶ》に問《と》い詰《つ》められ、園子《そのこ》は「ええ、できるわよ！」と力強《ちからづよ》く言《い》って、手《て》のひらをぎゅっと握《にぎ》りしめた。

「だって真《まこと》さんは…真《まこと》さんは…とっても素敵《すてき》で優《やさ》しくて…いい人《ひと》なんだから‼」

勢《いきお》いよく叫《さけ》んで、ハー…ハー…と荒《あら》い息《いき》をつく。

京極《きょうごく》が、照《て》れくささをごまかすように、きゅっと唇《くちびる》を引《ひ》き結《むす》んだ。

優《やさ》しくていい人《ひと》なんだから犯人《はんにん》ではない……という園子《そのこ》の理屈《りくつ》に、（証明《しょうめい》になってねぇー…）とコナンは心《こころ》の中《なか》で突《つ》っ込《こ》んだ。

「山村警部《やまむらけいぶ》！　ちょっとこれを！」

鑑識《かんしき》が、トイレの中《なか》から山村警部《やまむらけいぶ》に声《こえ》をかける。

「ん？」

「左《ひだり》の肩口《かたぐち》に火傷《やけど》の跡《あと》が…恐《おそ》らく被害者《ひがいしゃ》はスタンガンで気絶《きぜつ》させられていたかと…」

鑑識《かんしき》が、死体《したい》の左《ひだり》の袖《そで》を肩《かた》までめくりあげる。そこには、赤《あか》く腫《は》れた火傷《やけど》の跡《あと》があった。

「ス、スタンガン？」

「犯人《はんにん》がスタンガンを使《つか》ったんならこの人《ひと》は犯人《はんにん》じゃないと思《おも》うよ！」

世良《せら》に指摘《してき》され、山村警部《やまむらけいぶ》は「な、何《なん》で？」とうろたえた。

「だってこの人《ひと》なら腹《はら》に一発《いっぱつ》食《く》らわせれば気絶《きぜつ》させられるし…一度《いちど》食《く》らわせてたなら同《おな》じ場所《ばしょ》を殴《なぐ》れば打撲痕《だぼくこん》はごまかせるしな…」

「でも、そう思《おも》わせる為《ため》にわざとスタンガンで…」

山村警部《やまむらけいぶ》が食《く》い下《さ》がる。

世良《せら》は、がっしりとした体格《たいかく》の京極《きょうごく》をちらりと見《み》て続《つづ》けた。

「この空手《からて》の達人《たつじん》が護身用《ごしんよう》にスタンガンを持《も》ち歩《ある》いているなんて…とても思《おも》えないけど？」

「か、空手《からて》の達人《たつじん》？」

山村警部《やまむらけいぶ》の声《こえ》がひっくり返《かえ》る。

「大《おお》きな大会《たいかい》で何度《なんど》も優勝《ゆうしょう》されてます！」

「400戦無敗《せんむはい》の蹴撃《しゅうげき》の貴公子《きこうし》よ!!」

蘭《らん》と園子《そのこ》が、あわてて説明《せつめい》した。

京極《きょうごく》ほどの強《つよ》さをもつ男《おとこ》が、成人男性《せいじんだんせい》を気絶《きぜつ》させるのにスタンガンを使《つか》うのは、確《たし》かに不自然《ふしぜん》だ。山村警部《やまむらけいぶ》は、やれやれと言《い》いたげな表情《ひょうじょう》で京極《きょうごく》の手錠《てじょう》を外《はず》した。

「それならそうと早《はや》く言《い》ってくれちゃっ…言《い》ってくださいよ…」

(赤《あか》いハンカチ事件《じけん》で会《あ》ってるんだけどな…)

コナンが、心《こころ》の中《なか》でぼやく。

それにしても、今日《きょう》の山村警部《やまむらけいぶ》は、口調《くちょう》を言《い》い直《なお》してばかりいる。『〜してくれちゃって』というものの口《くち》ぐせを、矯正《きょうせい》しようとしているのだろうか。

「山村《やまむら》…お前《まえ》どっか調子悪《ちょうしわる》いのか？」

小五郎《こごろう》が、山村警部《やまむらけいぶ》に心配《しんぱい》そうに声《こえ》をかけた。

「え？」

「だって前《まえ》は『してくれちゃったりなんかしちゃったりしてー』とか言《い》ってたじゃねぇか！」

「あ、あれは相手《あいて》を油断《ゆだん》させる為《ため》にわざと使《つか》ってただけで…警部《けいぶ》になった私《わたし》には、あんな子供《こども》じみた口調《くちょう》は必要《ひつよう》ありませんよ!!」

ぎこちなく言《い》うと、山村警部《やまむらけいぶ》は、ハッハッハッと笑《わら》い声《ごえ》を上《あ》げた。

「あ、そう…」

小五郎《こごろう》が、どうでもよさそうにつぶやく。

山村警部《やまむらけいぶ》は、ポケットから手帳《てちょう》を出《だ》すと、改《あらた》めて京極《きょうごく》に質問《しつもん》した。

「んじゃ、ずっとこの駐車場《ちゅうしゃじょう》にいたんなら見《み》てないんですか？　不審人物《ふしんじんぶつ》とか…」

「熟睡《じゅくすい》していたので…」

京極《きょうごく》の証言《しょうげん》を手帳《てちょう》にメモするため、山村警部《やまむらけいぶ》は万年筆《まんねんひつ》を口《くち》にくわえ、キャップを外《はず》した。

しかし、手《て》が滑《すべ》って、ペンの方《ほう》を落《お》としてしまう。

「あ…ちょ…ちょっと…」

カシャンと落《お》ちた万年筆《まんねんひつ》は、駐車場《ちゅうしゃじょう》のアスファルトをコロコロと転《ころ》がっていった。

「待《ま》ってってって…」

中腰《ちゅうごし》になって万年筆《まんねんひつ》を追《お》いかける山村警部《やまむらけいぶ》の様子《ようす》に、小五郎《こごろう》が「ん？」と目《め》を留《と》める。

万年筆《まんねんひつ》は転《ころ》がり続《つづ》け、排水口《はいすいこう》の上《うえ》でカランと止《と》まった。

「ふー…危《あぶ》なかった…」

ほっとして、山村警部《やまむらけいぶ》が万年筆《まんねんひつ》を拾《ひろ》い上《あ》げる。

「この辺《へん》、傾《かたむ》いてるんじゃ…」

小五郎《こごろう》は、じろりと辺《あた》りを見回《みまわ》した。平面《へいめん》の上《うえ》に落《お》ちたのなら、万年筆《まんねんひつ》はあんなに転《ころ》がったりしないはずだ。

「ああ…この辺《あた》り地盤沈下《じばんちんか》で少《すこ》し傾《かたむ》いてるらしいです…来月《らいげつ》には舗装工事《ほそうこうじ》をする予定《よてい》みたいですが…」

トイレを調《しら》べていた鑑識《かんしき》が言《い》った。

小五郎《こごろう》は「ホー…」と当《あ》たり障《さわ》りのない相《あい》づちを打《う》って流《なが》したが、コナンは引《ひ》っかかりを覚《おぼ》えていた。

(地盤沈下《じばんちんか》…まてよ…だとしたら…)

トイレの目《め》の前《まえ》には、駐車場《ちゅうしゃじょう》を囲《かこ》うコンクリートの壁《かべ》がある。よく見《み》ると、壁《かべ》の下半分《したはんぶん》に、斜《なな》めに泥《どろ》の跡《あと》がついていた。

(この壁《かべ》に斜《なな》めについた泥《どろ》の跡《あと》は…まさか…)

その時《とき》、やんでいた雨《あめ》が、再《ふたた》び降《ふ》り出《だ》した。

「あ、雨《あめ》…」

蘭《らん》がつぶやいて、手《て》のひらを上《うえ》に向《む》ける。

「やだ！　また降《ふ》って来《き》た…」

園子《そのこ》もいやそうに言《い》って、手《て》を顔《かお》の上《うえ》にかざした。

「とりあえずボウリング場《じょう》へ避難《ひなん》しましょう！　話《はなし》の続《つづ》きはそこで…」

山村警部《やまむらけいぶ》がみんなを促《うなが》し、一同《いちどう》はボウリング場《じょう》へと走《はし》っていく。京極《きょうごく》は、走《はし》りながら園《その》子《こ》の頭上《ずじょう》に手《て》をかざして雨《あめ》から守《まも》ろうとしていた。園子《そのこ》はそのことに気《き》づいて、うれしそうだ。

「ん？」

世良《せら》は足《あし》を止《と》めた。コナンが、一人現場《ひとりげんば》に残《のこ》って、トイレを「……」と見上《みあ》げているのだ。

「君《きみ》も早《はや》く行《い》かないと…」

言《い》いかけた世良《せら》を、コナンが「ねぇ？」と遮《さえぎ》る。

「トイレの通風口《つうふうこう》のあそこ…変《へん》じゃない？　あそこだけ水滴《すいてき》が流《なが》れず帯状《おびじょう》に残《のこ》ってるよ？」

コナンが指《ゆび》さしたのは、トイレの上部《じょうぶ》にある長方形《ちょうほうけい》の通風口《つうふうこう》だった。通風口《つうふうこう》の周《まわ》りだけ、水《みず》をはじいたようになっている。

世良《せら》は、水《みず》をはじいている部分《ぶぶん》を指《ゆび》でなぞった。

「ちょっとベトついてるな…」

「何《なに》かが貼《は》ってあったのかも…」

「おい！　君達《きみたち》も早《はや》く屋内《おくない》に!!」

鑑識《かんしき》が、タンカに乗《の》せた死体《したい》を運《はこ》びながら、世良《せら》とコナンに声《こえ》をかけた。

「はーい！」

二人《ふたり》ははきはきと返事《へんじ》をすると、トイレのドア側《がわ》にまわりこみ、調査《ちょうさ》を続《つづ》けた。

「ドアの周《まわ》りにも同《おな》じように水滴《すいてき》が残《のこ》ってる…」

「でもドアの下《した》の通風口《つうふうこう》には残《のこ》ってないね…それにさー…最初《さいしょ》にトイレに入《はい》った時《とき》、臭《にお》わなかった？」

コナンに聞《き》かれ、世良《せら》が「ああ…」と意味深《いみしん》にうなずく。

そして、二人《ふたり》は顔《かお》を見合《みあ》わせ、「灯油《とうゆ》の臭《にお》い!!」と声《こえ》をそろえた。死体《したい》を発見《はっけん》してトイレの中《なか》に踏《ふ》み込《こ》んだとき、確《たし》かに、灯油《とうゆ》のにおいがしたのだ。

「君達《きみたち》…」

殺人現場《さつじんげんば》にいつまでも居座《いすわ》る世良《せら》とコナンを見《み》かねて、鑑識《かんしき》が声《こえ》をかけてきた。

「さっき言《い》った事《こと》聞《き》いてなかったの？」

「はいはい！」

にこやかに世良《せら》が答《こた》え、コナンも「今《いま》、行《い》きまーす！」と笑顔《えがお》で続《つづ》いた。


雨《あめ》はザーザーと降《ふ》り続《つづ》き、次第《しだい》に激《はげ》しさを増《ま》していく。

ボウリング場《じょう》へと避難《ひなん》した山村警部《やまむらけいぶ》のもとへ刑事《けいじ》がやって来《き》て、鑑識《かんしき》の検視結果《けんしけっか》を報告《ほうこく》した。それによれば、丹波《たんば》の死因《しいん》はやはり溺死《できし》だという。

「え？　溺死《できし》に間違《まちが》いない？　本当《ほんとう》に？」

山村警部《やまむらけいぶ》が、驚《おどろ》いて聞《き》き返《かえ》す。

「はい！　遺体《いたい》の気道内《きどうない》に水《みず》が溜《た》まっていたと観察医《かんさつい》から報告《ほうこく》が…」

「しかしスタンガンで気絶《きぜつ》させていたとはいえ、あんな体格《たいかく》のいい男《おとこ》を縛《しば》りもせず溺死《できし》させたんなら…2、3人《にん》がかりで殺《や》ったんじゃねーのか？」

小五郎《こごろう》が口《くち》をはさむ。

山村警部《やまむらけいぶ》は「確《たし》かに…」とうなずくと、ちらりと背後《はいご》の京極《きょうごく》を横目《よこめ》で見《み》て続《つづ》けた。

「まぁ、空手《からて》の達人《たつじん》なら1人《り》で十分《じゅうぶん》ですけどね…」

「何《なに》よ！　まだ真《まこと》さんを疑《うたが》ってるわけ？」

園子《そのこ》が、京極《きょうごく》を背中《せなか》にかばい、じっと山村警部《やまむらけいぶ》をにらみつける。

「あ、それと遺体《いたい》の下腹部《かふくぶ》にヒモ状《じょう》の圧迫痕《あっぱくこん》があるとの報告《ほうこく》も…」

「下腹部《かふくぶ》に？」

山村警部《やまむらけいぶ》が聞《き》き返《かえ》す。下腹部《かふくぶ》にヒモ状《じょう》の圧迫痕《あっぱくこん》——つまり、へその下《した》の辺《あた》りを、ヒモのようなもので強《つよ》く押《お》さえつけられた形跡《けいせき》があるということだ。

「ええ…圧迫痕《あっぱくこん》は腰《こし》の方《ほう》には達《たっ》してなかったので…犯人《はんにん》は遺体《いたい》のベルトをつかんで運《はこ》んだんじゃないかと…」

「相当《そうとう》な腕力《わんりょく》の持《も》ち主《ぬし》ですねぇ…」

「例《たと》えば空手《からて》の達人《たつじん》のような…」

山村警部《やまむらけいぶ》が、懲《こ》りずに京極《きょうごく》を疑《うたが》うようなことを口《くち》にする。

園子《そのこ》は「………」と怒《いか》りの形相《ぎょうそう》で山村警部《やまむらけいぶ》をにらみつけた。

「例《たと》えばの話《はなし》ですよ…例《たと》えばの…」

園子《そのこ》の迫力《はくりょく》に押《お》され、山村警部《やまむらけいぶ》が愛想笑《あいそわら》いを浮《う》かべる。

世良《せら》は、門奈《もんな》と正木《まさき》に、「そーいえば」と話《はな》しかけた。

「殺《ころ》されたあの人、色々《いろいろ》あったとか言《い》ってたけど何《なに》があったんだ？」

「あぁ…丹波先生《たんばせんせい》、私《わたし》の妹《いもうと》と結婚《けっこん》の約束《やくそく》をしてたんだけど…彼《かれ》の親《おや》に反対《はんたい》されてて…」

門奈《もんな》が暗《くら》い声《こえ》で言《い》って、語尾《ごび》をにごす。正木《まさき》が説明《せつめい》の後《あと》を継《つ》いだ。

「実《じつ》は彼《かれ》には親同士《おやどうし》が決《き》めてた婚約者《こんやくしゃ》がいたらしいのよ…それを知《し》って2人共《りとも》ショックで、一時《いちじ》は駆《か》け落《お》ちしようとしてたみたいだけど…」

「結局《けっきょく》、妹《いもうと》だけ海《うみ》に身《み》を投《な》げて入水自殺《じゅすいじさつ》を…」

うつむく門奈《もんな》に、蘭《らん》がおずおずと「駆《か》け落《お》ちの相談《そうだん》とか受《う》けてたんですか？」と聞《き》いた。

「妹《いもうと》からメールが来《き》たのよ…『これから二人《ふたり》で旅立《たびだ》ちます』って…」

「私《わたし》の携帯《けいたい》にもそのメール来《き》たわ…彼女《かのじょ》とは同級生《どうきゅうせい》で親友《しんゆう》だったから…」

門奈《もんな》と正木《まさき》は、順番《じゅんばん》に言《い》うと、表情《ひょうじょう》を暗《くら》くした。

どうやら、丹波《たんば》の死《し》んだ婚約者《こんやくしゃ》は、門奈《もんな》の妹《いもうと》であり、正木《まさき》の親友《しんゆう》でもあったようだ。

門奈《もんな》は「それからよね？」と正木《まさき》に視線《しせん》を向《む》けた。

「丹波先生《たんばせんせい》がお酒《さけ》を飲《の》むと暴《あば》れるようになったのって…」

「ええ…だから私達《わたしたち》がボウリングしてる間《あいだ》に目《め》を覚《さ》まして…誰《だれ》かと喧嘩《けんか》になってそれで…」

深刻《しんこく》そうに話《はな》す門奈《もんな》と正木《まさき》を見上《みあ》げ、コナンは「ねぇ…」と声《こえ》をかけた。

「先生達《せんせいたち》、このボウリング場《じょう》ってよく来《く》るの？」

「ええ…亡《な》くなった彼女《かのじょ》がボウリング好《ず》きだったから…」

正木《まさき》が答《こた》えると、

「そーいえば前《まえ》に来《き》た時《とき》も雨《あめ》だったわね…」

と、門奈《もんな》が、思《おも》い出《だ》したようにつぶやいた。

その時《とき》、刑事《けいじ》の男《おとこ》が、ビニール袋《ぶくろ》に入《はい》った荷物《にもつ》を持《も》って駆《か》け寄《よ》ってきた。

「山村警部《やまむらけいぶ》！　トイレの横《よこ》のゴミ箱《ばこ》の中《なか》から濡《ぬ》れたタオルと妙《みょう》な空《あ》き缶《かん》を４つ発見《はっけん》しました！」

「あ、空《あ》き缶《かん》？」

「ええ…４つ共《とも》、口《くち》の部分《ぶぶん》がコゲていて…」

山村警部《やまむらけいぶ》は、刑事《けいじ》の持《も》つビニール袋《ぶくろ》をじっと見《み》つめた。空《あ》き缶《かん》の飲《の》み口《くち》の部分《ぶぶん》には、確《たし》かにコゲたような跡《あと》がある。

「誰《だれ》かが灰皿《はいざら》の代《か》わりに使《つか》ったんじゃ…」

事件《じけん》とは無関係《むかんけい》だと思《おも》おうとする山村警部《やまむらけいぶ》に、刑事《けいじ》が反論《はんろん》した。

「し、しかし中《なか》から灯油《とうゆ》の臭《にお》いが…」

「灯油《とうゆ》？」

コナンは、「⁉」と目《め》を見開《みひら》いた。コナンたちがトイレで死体《したい》を発見《はっけん》したときにも、灯《と》油《ゆ》の臭《にお》いがしたのだ。

事件《じけん》と無関係《むかんけい》とは思《おも》えない。

「あ、ちょっと…コナン君《くん》⁉」

蘭《らん》が止《と》めるのも聞《き》かず、コナンはダッと駆《か》け出《だ》して、駐車場《ちゅうしゃじょう》へと戻《もど》った。

トイレの周辺《しゅうへん》では、鑑識《かんしき》たちがまだ作業《さぎょう》をしている。コナンの姿《すがた》を見《み》ると、追《お》い払《はら》おうとしたが、コナンは食《く》い下《さ》がって頼《たの》みこんだ。

「ねぇ！　調《しら》べてみてよ‼　その上《うえ》の棚《たな》の予備《よび》のトイレットペーパーをどかすだけでいいからさ！」

「――ったくしょーがねぇボウズだな…」

コナンがなかなかあきらめないので、鑑識《かんしき》は根負《こんま》けして、トイレの上部《じょうぶ》に作《つく》りつけられた棚《たな》に手《て》を伸《の》ばしてトイレットペーパーをどかし始《はじ》めた。

「でもまあ眠《ねむ》りの小五郎《こごろう》に頼《たの》まれたって言《い》うなら…ん？」

鑑識《かんしき》が、ふと何《なに》かに気《き》づいて手《て》を止《と》める。

トイレットペーパーで隠《かく》れていた天井《てんじょう》から現《あらわ》れたのは、黒《くろ》いコゲ跡《あと》だったのだ。

「て…天井《てんじょう》にコゲ跡《あと》!?　おい！　写真《しゃしん》だ、写真《しゃしん》!!」

（やっぱりそうか！）

天井《てんじょう》のコゲ跡《あと》は、コナンの推理《すいり》が正《ただ》しいことを証明《しょうめい》している。コナンは確信《かくしん》して、改《あらた》めてトイレの中《なか》を見回《みまわ》した。

（これで、トイレの壁《かべ》の下《した》の方《ほう》が…妙《みょう》に濡《ぬ》れていた説明《せつめい》がつく…。間違《まちが》いない！　犯人《はんにん》はあの人《ひと》だ!!）


世良《せら》は、トイレの扉《とびら》の陰《かげ》に隠《かく》れて、コナンと鑑識《かんしき》の会話《かいわ》を聞《き》いていた。

コナンの様子《ようす》を、誰《だれ》かにメールで報告《ほうこく》する。

（『どうやら彼《かれ》も真相《しんそう》に辿《たど》り着《つ》いた様《よう》だけど…ボクの推理《すいり》と同《おな》じかどうか最近少々《さいきんしょうしょう》自信喪失《じしんそうしつ》ぎみ』っと…）

メールを送信《そうしん》すると、すぐに返事《へんじ》が来《き》た。

（お！　返信早《へんしんはや》っ!!）

メールを開《ひら》くと、『彼《かれ》とは誰《だれ》だ？　説明《せつめい》を求《もと》む！』とある。

（「彼《かれ》とは誰《だれ》だ？」か…やっぱそう来《く》るよな…）

世良《せら》は、鑑識《かんしき》と話《はな》すコナンの様子《ようす》を隠《かく》し撮《ど》りして、『これが彼《かれ》だよ！　驚《おどろ》いた？　真《ま》純《すみ》』と、テキストと名前《なまえ》を添《そ》え、メールの相手《あいて》に送《おく》った。

今度《こんど》も、すぐに返信《へんしん》が来《き》た。

（お！　来《き》た来《き》た！）

メールを開《ひら》いた世良《せら》は、（え？）と目《め》を丸《まる》くした。

（「彼《かれ》なら問題《もんだい》はない」？）

問題《もんだい》はない、とは一体《いったい》どういうことなのだろう？

世良《せら》はとまどって、鑑識《かんしき》と話《はな》すコナンへと視線《しせん》をそそいだ。


ボウリング場《じょう》では、小五郎《こごろう》たちが、事件《じけん》の真相《しんそう》について話《はな》し合《あ》っていた。

「喧嘩《けんか》だよ喧嘩《けんか》！　車《くるま》の中《なか》で酔《よ》って寝《ね》てた被害者《ひがいしゃ》が、起《お》きて飲《の》み直《なお》しに入《はい》ったどっかの店《みせ》で誰《だれ》かと喧嘩《けんか》になり…どっかに連《つ》れ出《だ》されて殺《ころ》されちまったんだよ！」

小五郎《こごろう》は、自分《じぶん》の大《おお》ざっぱな推理《すいり》をゴリ押《お》ししていた。

「しかし、毛利《もうり》さん達《たち》が被害者《ひがいしゃ》を捜《さが》して居酒屋《いざかや》を回《まわ》った時《とき》は、誰《だれ》も被害者《ひがいしゃ》を見《み》てないって言《い》ってたんですよね？」

山村警部《やまむらけいぶ》が、おずおずと反論《はんろん》する。

「どーせしらばっくれてたんだろーよ！　店《みせ》で客同士《きゃくどうし》が喧嘩《けんか》したなんて広《ひろ》まると、店《みせ》の評判《ひょうばん》が落《お》ちちまうからな！」

「しかしどーして犯人《はんにん》はスタンガンなんて持《も》ってたんでしょうか…」

山村警部《やまむらけいぶ》が食《く》い下《さ》がる。

「それにどこでどーやって溺死《できし》させたかもわかりませんし…そもそも遺体《いたい》を被害者《ひがいしゃ》が寝《ね》ていた車《くるま》のある駐車場《ちゅうしゃじょう》の仮設《かせつ》トイレの中《なか》にわざわざ放置《ほうち》した理由《りゆう》もさっぱり…」

ブツブツと反論《はんろん》を重《かさ》ねる山村警部《やまむらけいぶ》がうっとうしくなり、小五郎《こごろう》は「んなもん知《し》るかー!!」と叫《さけ》んだ。

「とにかく、被害者《ひがいしゃ》の丹波先生《たんばせんせい》は…この正木先生《まさきせんせい》に、酔《よ》いが覚《さ》めるまで寝《ね》てるようにと駐車場《ちゅうしゃじょう》の車《くるま》の中《なか》に連《つ》れて行《い》かれ…その1時間《じかん》ぐらい後《あと》、門奈先生《もんなせんせい》が様子《ようす》を見《み》に駐車場《ちゅうしゃじょう》へ行《い》くまでの間《あいだ》に起《お》きて車《くるま》から抜《ぬ》け出《だ》し…丹波先生《たんばせんせい》がいなくなったのを聞《き》いた俺達《おれたち》が、彼《かれ》を捜《さが》して居酒屋《いざかや》を回《まわ》ってた頃《ころ》に…どっかの誰《だれ》かともめた挙句《あげく》…溺死《できし》させられて…俺達《おれたち》が再《ふたた》び駐車《ちゅうしゃ》場《じょう》に戻《もど》って来《く》るまでに…駐車場《ちゅうしゃじょう》のトイレの中《なか》にぶち込《こ》まれたっていうのは間違《まちが》いない!!」

順《じゅん》を追《お》って時系列《じけいれつ》を整理《せいり》した小五郎《こごろう》は、後《うし》ろに立《た》っていた京極《きょうごく》の方《ほう》をふり返《かえ》った。また京極《きょうごく》が犯人扱《はんにんあつか》いされそうな気配《けはい》を察《さっ》して、園子《そのこ》がキッと小五郎《こごろう》をにらみつける。

「まぁ、その間《あいだ》、ずっと同《おな》じ駐車場《ちゅうしゃじょう》の車《くるま》の中《なか》で仮眠《かみん》をとっていた…この空手野郎《からてやろう》も怪《あや》しくないわけじゃねぇが…犯人《はんにん》がスタンガンを使《つか》った事《こと》を考《かんが》えるとまぁシロだ…」

小五郎《こごろう》はそう言《い》うと、ずいっと山村警部《やまむらけいぶ》に顔《かお》を近《ちか》づけて、がなった。

「だからさっさとこの辺《へん》の居酒屋《いざかや》を回《まわ》ってしっかり聞《き》き込《こ》みをしろって言《い》ってんだよ!!」

小五郎《こごろう》の剣幕《けんまく》に押《お》され、山村警部《やまむらけいぶ》が震《ふる》えてうなずく。

「そ、そうですね…」

そこへ、刑事《けいじ》の男《おとこ》が走《はし》ってきた。

「山村警部《やまむらけいぶ》！　実験《じっけん》の準備《じゅんび》ができたそうです！」

「え？　実験《じっけん》？」

実験《じっけん》と聞《き》いてもなんのことかわからず、山村警部《やまむらけいぶ》はきょとんとした。

「あ、はい…毛利探偵《もうりたんてい》が事件《じけん》を解決《かいけつ》するのに必要《ひつよう》だからといって…それを警部《けいぶ》が許可《きょか》したと鑑識《かんしき》さんが…」

「はぁ？　何《なに》を言《い》ってくれちゃって…」

「んな事言《ことい》った覚《おぼ》え全《まった》くねぇぞ!!」

刑事《けいじ》の説明《せつめい》に、山村警部《やまむらけいぶ》と小五郎《こごろう》が同時《どうじ》に反論《はんろん》する。二人《ふたり》に心当《こころあ》たりがないのは当然《とうぜん》だ。

コナンが勝手《かって》に二人《ふたり》の名前《なまえ》を出《だ》して、鑑識《かんしき》に実験《じっけん》の用意《ようい》をさせたのだから。

「で、でも鑑識《かんしき》さんが言《い》うにはその少年《しょうねん》が…」

刑事《けいじ》が、コナンの方《ほう》を見《み》る。

「と、とにかく行《い》ってみよ！　ボク実験大好《じっけんだいす》きだし！」

コナンはあわててごまかそうとしたが、

「小学《しょうがく》1年生《ねんせい》のガキが実験《じっけん》なんかやった事《こと》あるの？」

と、園子《そのこ》に怪《あや》しむような視線《しせん》を向《む》けられてしまう。

あせっていると、蘭《らん》が、「あ、でも博士《はかせ》の家《いえ》でやってるかも…」と、はからずも助《たす》け船《ぶね》を出《だ》すようなことを言《い》った。

「まぁ行《い》って事情《じじょう》を聞《き》いてみましょう！」

山村警部《やまむらけいぶ》が言《い》い、一同《いちどう》は外《そと》の仮設《かせつ》トイレへと向《む》かった。

大人《おとな》にまじって駆《か》けていくコナンの後《うし》ろ姿《すがた》を、世良《せら》は「……」と無言《むごん》で見送《みおく》った。

（彼《かれ》なら問題《もんだい》はない？）

最後《さいご》に兄《あに》から受信《じゅしん》したメールの文面《ぶんめん》を思《おも》い出《だ》す。

（何《なん》で知《し》ってんだよ？　兄貴《あにき》がこの子《こ》の事《こと》を…）


駐車場《ちゅうしゃじょう》の仮設《かせつ》トイレへとやって来《き》た小五郎《こごろう》は、「おいおい!?」と目《め》を丸《まる》くした。周辺《しゅうへん》がすっかり水《みず》につかっているのだ。

「何《なん》だこりゃ!?　トイレの周《まわ》りが水浸《みずびた》しじゃねーか!?」

「あ、でも…毛利探偵《もうりたんてい》がそう指示《しじ》されたんですよね？　排水口《はいすいこう》にタオルを詰《つ》め、雨水《あまみず》をせき止《と》めて溜《た》めてくれって…」

鑑識《かんしき》が、水《みず》に沈《しず》んだ排水口《はいすいこう》の方《ほう》を見《み》て言《い》う。排水口《はいすいこう》に詰《つ》まっているタオルは、ごみ箱《ばこ》で発見《はっけん》されたものと同《おな》じくらいの大《おお》きさだ。

「そっか、この辺《へん》、地盤沈下《じばんちんか》で傾《かたむ》いてるから…」

「さっきまで降《ふ》ってた雨《あめ》が溜《た》まっちゃったのね…」

園子《そのこ》と蘭《らん》が、水溜《みずた》まりを見《み》て順番《じゅんばん》に言《い》う。

トイレの周《まわ》りには、大人《おとな》のふくらはぎがつかるくらいまで水《みず》が溜《た》まっていた。

「しかしこれじゃあ大事《だいじ》な現場《げんば》が台無《だいな》しじゃないですか…」

山村警部《やまむらけいぶ》に文句《もんく》を言《い》われ、鑑識《かんしき》はあわてて説明《せつめい》した。

「遺体《いたい》のあったトイレなら別《べつ》の場所《ばしょ》に移動《いどう》させて調査中《ちょうさちゅう》です…これは別《べつ》の仮設《かせつ》トイレで…それもそうしてくれと毛利《もうり》さんの指示《しじ》があったと…」

「だーかーらー、俺《おれ》はそんな事《こと》…」

そんな事言《ことい》ってない、と言《い》いかけた小五郎《こごろう》の首筋《くびすじ》に向《む》かって、コナンはパシュッと腕時計型麻酔銃《うでどけいがたますいじゅう》を撃《う》った。はにょ、と間《ま》の抜《ぬ》けた声《こえ》を上《あ》げて、小五郎《こごろう》が倒《たお》れこむ。背後《はいご》に停《と》まっていた車《くるま》をちょうど背《せ》もたれにして、小五郎《こごろう》は水溜《みずた》まりの中《なか》に座《すわ》りこんでしまった。

「お、お父《とう》さん!? そこ、水《みず》が溜《た》まってるよ!!」

驚《おどろ》いて蘭《らん》が声《こえ》をかけるが、小五郎《こごろう》はすでに眠《ねむ》りこんでいる。

コナンは、蝶《ちょう》ネクタイ型変声機《がたへんせいき》のダイヤルをまわし、自分《じぶん》の声《こえ》を小五郎《こごろう》の声《こえ》に変《か》えて言《い》った。

「だから俺《おれ》のズボンが濡《ぬ》れようがそんな事《こと》はどーでもいいって言《い》ってんだよ!!　このトリックが証明《しょうめい》できればな!!」

「ト、トリックってまさか…この溜《た》めた雨水《あまみず》で溺死《できし》させたとか？」

突然始《とつぜんはじ》まった推理《すいり》ショーに、山村警部《やまむらけいぶ》はうろたえて、水溜《みずた》まりを見回《みまわ》した。

「でもこんなに雨水《あまみず》を溜《た》めるにはそれなりに時間《じかん》がかかりますし…スタンガンで気絶《きぜつ》させていたとはいえ…成人男性《せいじんだんせい》を、手足《てあし》を縛《しば》らずにこんな所《ところ》で強引《ごういん》に溺死《できし》させたとなると…やはり犯人《はんにん》は相当《そうとう》な腕力《わんりょく》の持《も》ち主《ぬし》って事《こと》になりますよ？」

そう言《い》うと、山村警部《やまむらけいぶ》は京極《きょうごく》の方《ほう》をじろりとにらんだ。

「だから真《まこと》さんは違《ちが》うって言《い》ってるでしょ？」

京極《きょうごく》をかばい、園子《そのこ》が「ねぇ、真《まこと》さん…」とふり返《かえ》る。

ところが、京極《きょうごく》はいきなり身《み》をひるがえし、ダッとどこかへ走《はし》り去《さ》ってしまった。

「あ、真《まこと》さん!?」

「あ〰〰〰!!　逃《に》げた!!」

突然《とつぜん》の行動《こうどう》に、園子《そのこ》も山村警部《やまむらけいぶ》も、追《お》いかけることも忘《わす》れてあっけにとられた。

「放《ほう》っておけ！　トイレにでも行《い》ったんだろ…彼《かれ》は関係《かんけい》ない…」

コナンが変声機《へんせいき》ごしに言《い》い、山村警部《やまむらけいぶ》は、「え？　でも…」ととまどって、眠《ねむ》る小五郎《こごろう》の顔《かお》を見《み》た。

「なぜならこのトリックに腕力《わんりょく》は必要《ひつよう》ない…犯人《はんにん》は被害者《ひがいしゃ》をトイレに閉《と》じ込《こ》め…被害者《ひがいしゃ》に手《て》を触《ふ》れる事《こと》なく溺死《できし》させたんだから…まるで魔法《まほう》のようにね…」

小五郎《こごろう》が自信《じしん》に満《み》ちた口調《くちょう》で言《い》うのを聞《き》きながら、世良《せら》は（魔法《まほう》…）と心《こころ》の中《なか》で繰《く》り返《かえ》した。

「百聞《ひゃくぶん》は一見《いっけん》に如《し》かず…実際《じっさい》にやってみようか…トイレの中《なか》で人《ひと》が本当《ほんとう》に溺死《できし》するかどうか…。もちろん、山村警部《やまむらけいぶ》！　お前《まえ》が実験台《じっけんだい》だ!!」

小五郎《こごろう》に指名《しめい》され、山村警部《やまむらけいぶ》は驚《おどろ》いて自分《じぶん》を指《ゆび》さした。

「ええ!?　ぼ、僕《ぼく》がァ〜〜〜!?」

「大丈夫《だいじょうぶ》…携帯酸素《けいたいさんそ》は用意《ようい》してもらったから…」

鑑識《かんしき》が、無言《むごん》で、山村警部《やまむらけいぶ》に携帯酸素《けいたいさんそ》を差《さ》し出《だ》す。

「――って、酸素《さんそ》ボンベとかじゃないの!?」

山村警部《やまむらけいぶ》が、酸素《さんそ》の入《はい》ったスプレー缶《かん》を見《み》て口《くち》をとがらせる。口当《くちあ》てはついているものの、スプレー缶《かん》はかなり小《ちい》さく、溺死《できし》の実験《じっけん》に挑《いど》むには心《こころ》もとなかった。

次《つぎ》に、小五郎《こごろう》は世良《せら》に声《こえ》をかけた。

「おい、ボクっ娘《こ》！　お前《まえ》はトリックを仕掛《しか》けるのを手伝《てつだ》え！　お前《まえ》もこのトリック、わかってんだろ？」

「ああ…まあな…」

世良《せら》がうなずいて、水溜《みずた》まりの中《なか》に入《はい》っていった。

これで、準備《じゅんび》はオッケーだ。

小五郎《こごろう》が、淡々《たんたん》と、この事件《じけん》のトリックを暴《あば》き始《はじ》めた。

「まずはトイレの中《なか》に被害者《ひがいしゃ》を入《い》れ…トイレの裏側《うらがわ》の通風口《つうふうこう》を…ガムテープでふさぐ…」

小五郎《こごろう》の推理《すいり》に従《したが》って、被害者役《ひがいしゃやく》の山村警部《やまむらけいぶ》がトイレの個室《こしつ》の中《なか》へと入《はい》った。世良《せら》が、トイレの通風口《つうふうこう》にガムテープを貼《は》る。

「次《つぎ》に、灯油《とうゆ》を入《い》れた、口《くち》に紙《かみ》を差《さ》した缶《かん》を4つ用意《ようい》し…その紙《かみ》に火《ひ》をつけ…そいつをトイレの棚《たな》に並《なら》べれば…後《あと》はドアを閉《し》め、ドアの隙間《すきま》をガムテープで目張《めば》りするだけ…」

小五郎《こごろう》の言《い》うとおりに、世良《せら》は手際《てぎわ》よく作業《さぎょう》を進《すす》めていった。灯油《とうゆ》の入《はい》った缶《かん》の中《なか》へ差《さ》し入《い》れた紙《かみ》に、ライターで火《ひ》をつけて、棚《たな》の上《うえ》に並《なら》べる。そして、トイレのドアを閉《し》め、ドアの四方《しほう》にガムテープを貼《は》って密閉《みっぺい》した。

「そ、それで何《なん》で溺死《できし》するわけ？」

園子《そのこ》が、不可解《ふかかい》そうに聞《き》く。

「まあ見《み》てなって！」

そう言《い》いながら、世良《せら》はトイレから離《はな》れた。

トイレの中《なか》には、山村警部《やまむらけいぶ》が一人《ひとり》、閉《と》じ込《こ》められている状態《じょうたい》だ。

山村警部《やまむらけいぶ》は便座《べんざ》に腰《こし》かけ、念《ねん》のため、口《くち》に携帯酸素《けいたいさんそ》をあてて待機《たいき》していた。しかし、こんな状況《じょうきょう》で人《ひと》が溺死《できし》するなんて、とても思《おも》えない。

（――ったく…水《みず》は足首《あしくび》の上《うえ》ぐらいまでしかないっていうのに…こんなんで人《ひと》が溺《おぼ》れ死《し》ぬかってーの……にしてもさすがに暑《あつ》くなって…）

棚《たな》の上《うえ》で、灯油《とうゆ》を吸《す》った紙《かみ》が勢《いきお》いよく燃《も》えているので、トイレの中《なか》はなかなかの熱気《ねっき》だ。

ちらりと見上《みあ》げると、炎《ほのお》がちょうどフッと消《き》えてしまった。

（あ…消《き》えた…え？）

次《つぎ》の瞬間《しゅんかん》、山村警部《やまむらけいぶ》はパニックに陥《おちい》った。

ドン！　ドン！

突然《とつぜん》、トイレの中《なか》にいる山村警部《やまむらけいぶ》がドアを激《はげ》しくたたき始《はじ》めたので、園子《そのこ》と蘭《らん》は驚《おどろ》いて駆《か》け寄《よ》った。

「な、何《なに》!?」

「中《なか》で一体何《いったいなに》が!?」

トイレの横《よこ》で待機《たいき》していた世良《せら》は、落《お》ち着《つ》いた様子《ようす》で、ドアを密閉《みっぺい》していたガムテープをペリペリとはがした。

「では…とくとご覧《らん》あれ…」

そう言《い》って、扉《とびら》を開《あ》ける。

すると、ドパッと大量《たいりょう》の水《みず》が中《なか》からあふれ出《で》てきた。いつの間《ま》にか、トイレの中《なか》は水《みず》でいっぱいになっていたのだ。

山村警部《やまむらけいぶ》は、便座《べんざ》の上《うえ》に立《た》ちあがって身《み》を縮《ちぢ》こめ、携帯酸素《けいたいさんそ》を口《くち》にあててスーハースーハーと必死《ひっし》に呼吸《こきゅう》を繰《く》り返《かえ》していた。

「大丈夫《だいじょうぶ》？」

世良《せら》に聞《き》かれ、山村警部《やまむらけいぶ》はようやく我《われ》に返《かえ》って、トイレの外《そと》へと飛《と》び出《だ》した。

「な、何《なん》て事《こと》させてくれちゃってるんですか、毛利《もうり》さん⁉　危《あや》うく溺《おぼ》れ死《じ》んじゃう所《ところ》だったんだからもォ〜〜〜!!!」

「で、でも何《なん》でトイレの中《なか》にあんなに水《みず》が…」

蘭《らん》に聞《き》かれ、世良《せら》は微笑《びしょう》を浮《う》かべて「トイレの中《なか》の内圧《ないあつ》が下《さ》がったからさ！」と答《こた》えた。

「理科《りか》の実験《じっけん》で見《み》た事《こと》ないか？　火《ひ》のついたロウソクを立《た》てた深《ふか》めの皿《さら》に水《みず》を張《は》り、ビーカーを被《かぶ》せると…ロウソクの火《ひ》が消《き》え、みるみる内《うち》に水《みず》がビーカーの中《なか》に吸《す》い上《あ》げられるヤツ…あれと一緒《いっしょ》だよ！　密閉《みっぺい》されたトイレの棚《たな》の上《うえ》で缶《かん》が燃《も》やされ、温《あたた》められて膨張《ぼうちょう》した空気《くうき》が…トイレ内《ない》の酸素濃度《さんそのうど》が減《へ》って火《ひ》が消《き》えた事《こと》により冷《ひ》やされて縮《ちぢ》み…その分《ぶん》、ドアの下《した》の通風口《つうふうこう》から溜《た》まった雨水《あまみず》を…大量《たいりょう》に吸《す》い込《こ》んだってわけさ！」

空気《くうき》の体積《たいせき》は、温《あたた》められると大《おお》きくなり、冷《ひ》やされると小《ちい》さくなる。今回《こんかい》のトリックは、その性質《せいしつ》を利用《りよう》したものだったのだ。

密閉《みっぺい》されたトイレ内《ない》の空気《くうき》が急激《きゅうげき》に縮《ちぢ》めば、その体積《たいせき》が減《へ》った分《ぶん》だけ、外《そと》の水《みず》を吸《す》い上《あ》げてしまうのだ。

「この説明《せつめい》で合《あ》ってるよね？」

世良《せら》は、強気《つよき》の口調《くちょう》で、犯人《はんにん》へと顔《かお》を向《む》けた。

「理科《りか》の先生《せんせい》の…正木《まさき》すなみさん？」

名指《なざ》しされ、正木《まさき》の表情《ひょうじょう》が凍《こお》りつく。

世良《せら》は、小五郎《こごろう》に代《か》わって、冷静《れいせい》に推理《すいり》を続《つづ》けた。

「まずあんたは、酔《よ》った丹波先生《たんばせんせい》を車《くるま》に連《つ》れて行《い》く途中《とちゅう》で仮設《かせつ》トイレの中《なか》に連《つ》れ込《こ》んだ…『車《くるま》のキーを忘《わす》れたからトイレの中《なか》で雨宿《あまやど》りしてて』とか言《い》ってね…連《つ》れ込《こ》んだらすかさずスタンガンで気絶《きぜつ》させ、ベルトの後《うし》ろに通《とお》したヒモを便器《べんき》のフタのつなぎ目《め》に結《むす》んで丹《たん》波先生《ばせんせい》が立《た》てないようにし…灯油《とうゆ》を入《い》れた４つの缶《かん》をトイレの棚《たな》に置《お》いて…ドアに南京錠《なんきんじょう》をかけ『故障中《こしょうちゅう》』の紙《かみ》を貼《は》る…その後《ご》、トイレの裏《うら》の通風口《つうふうこう》をガムテープでふさぎ、駐車《ちゅうしゃ》場《じょう》の排水口《はいすいこう》にタオルを詰《つ》めて雨水《あまみず》が溜《た》まるようにすれば下準備《したじゅんび》はＯＫ《オーケー》！」

コナンと世良《せら》がトイレを調《しら》べたとき、上部《じょうぶ》の通風口《つうふうこう》の周《まわ》りだけ水《みず》が下《した》に流《なが》れず、帯状《おびじょう》に水滴《すいてき》が貼《は》りついていた。あれは、残《のこ》っていたガムテープの粘着《ねんちゃく》が、水《みず》をはじいていたためだったのだ。

世良《せら》が、よどみなく推理《すいり》を続《つづ》ける。

「門奈先生《もんなせんせい》には彼《かれ》は車《くるま》の中《なか》で寝《ね》てしまったとうそぶいて、雨水《あまみず》が溜《た》まるのを待《ま》ち…、しばらくたって心配性《しんぱいしょう》の門奈先生《もんなせんせい》が丹波先生《たんばせんせい》の様子《ようす》を見《み》に行《い》けば計画通《けいかくどお》り…。まぁ、彼女《かのじょ》がそう言《い》い出《だ》さなかったら自分《じぶん》が彼女《かのじょ》を誘《さそ》って様子《ようす》を見《み》に行《い》くつもりだったんだろうけど…予《よ》想通《そうどお》り彼女《かのじょ》は丹波《たんば》先生《せんせい》が車《くるま》にいないと告《つ》げに来《き》て…駐車場《ちゅうしゃじょう》を捜《さが》す事《こと》になったあんたは…雨《あま》水《みず》が十分《じゅうぶん》に溜《た》まった事《こと》を確認《かくにん》し…トイレの貼《は》り紙《がみ》をはがし、南京錠《なんきんじょう》を外《はず》して棚《たな》に置《お》いておいた缶《かん》に火《ひ》をつけてドアをガムテープで目張《めば》りしたんだ…。後《あと》は実験《じっけん》の通《とお》りにトイレ内《ない》に雨水《あまみず》が吸《す》い込《こ》まれ、丹波《たんば》先生《せんせい》が溺死《できし》する頃《ころ》に…自分《じぶん》は門奈《もんな》先生《せんせい》と共《とも》に丹波《たんば》先生《せんせい》を捜《さが》して、居酒屋《いざかや》を回《まわ》っていたというアリバイを作《つく》ればゴール間近《まぢか》…」

死体《したい》の下腹部《かふくぶ》についたヒモ状《じょう》の圧迫痕《あっぱくこん》は、ベルトで便器《べんき》に縛《しば》りつけられていたためにできたものだったのだろう。

「そして再《ふたた》び駐車場《ちゅうしゃじょう》に戻《もど》り排水口《はいすいこう》のタオルを取《と》って溜《た》まった雨水《あまみず》を抜《ぬ》き、ガムテープを全《すべ》てはがして棚《たな》で燃《も》えた缶《かん》をゴミ箱《ばこ》に捨《す》ててベルトのヒモを切《き》り…トイレ内《ない》に水《みず》が溜《た》まった事《こと》を隠《かく》す為《ため》に、棚《たな》の新《あたら》しいトイレットペーパーを取《と》り付《つ》けた後《あと》…たった今《いま》、遺体《いたい》を発見《はっけん》したかのように悲鳴《ひめい》を上《あ》げたってわけさ!!」

世良《せら》の推理《すいり》に追《お》い詰《つ》められ、正木《まさき》の表情《ひょうじょう》からは、どんどん余裕《よゆう》がなくなっていた。

「この犯行《はんこう》の肝《きも》はいかに遺体発見《いたいはっけん》を早《はや》めるか…発見《はっけん》が遅《おく》れて死亡推定時刻《しぼうすいていじこく》の幅《はば》が広《ひろ》がればアリバイが無駄《むだ》になるから…だから犯人《はんにん》は遺体《いたい》の第一発見者《だいいちはっけんしゃ》のあんたしか考《かんが》えられないん

だよ！　雨水《あまみず》を溜《た》める時間《じかん》を作《つく》れたのもあんただけだしな!!　まあ、今頃《いまごろ》、鑑識《かんしき》があんたの指紋《しもん》付きのガムテープをトイレのタンクから見《み》つけてるよ…ゴミ箱《ばこ》になかったって事《こと》はトイレに流《なが》したはずだし…素手《すで》じゃないとガムテープははがしづらいからね…」

そう言《い》うと、世良《せら》はニコッとして、小五郎《こごろう》の方《ほう》をふり返《かえ》った。

「…で、合《あ》ってるよな？　眠《ねむ》りの小五郎《こごろう》さん？」

「あ、ああ…」

小五郎《こごろう》の陰《かげ》に隠《かく》れたコナンが、変声機《へんせいき》を通《とお》してうなずく。

「……」

言葉《ことば》を失《うしな》った正木《まさき》に代《か》わって、門奈《もんな》が一歩《いっぽ》前《まえ》に進《すす》み出《で》た。

「こ、これは何《なに》かの間違《まちが》いです！　だってすなみが丹波先生《たんばせんせい》を殺《ころ》す理由《りゆう》なんて何《なに》も…」

「…あるのよ…親友《しんゆう》をあの男《おとこ》に見殺《みごろ》しにされたっていう…もっともな動機《どうき》がね…」

正木《まさき》が、観念《かんねん》して言《い》う。

門奈《もんな》は驚《おどろ》いて、正木《まさき》の顔《かお》を見《み》た。

「親友《しんゆう》って…まさか私《わたし》の妹《いもうと》？」

門奈《もんな》がおそるおそる聞《き》くと、正木《まさき》はきっぱりと肯定《こうてい》した。

「ええ、あの男《おとこ》と結婚《けっこん》の約束《やくそく》をしていたあなたの妹《いもうと》よ！」

「でも妹《いもうと》は海岸沿《かいがんぞ》いの崖《がけ》から身《み》を投《な》げて…ちゃんと遺書《いしょ》もあったし…」

「その前《まえ》に彼女《かのじょ》からメールが来《き》たでしょ？　『これから二人《ふたり》で旅立《たびだ》ちます』って…あれは駆《か》け落《お》ちのメールなんかじゃなく…２人《り》であの世《よ》に旅立《たびだ》つっていう心中《しんじゅう》のメールだったのよ!!」

正木《まさき》は声《こえ》を震《ふる》わせると、うつむいて続《つづ》けた。

「なのにあの男《おとこ》は、急《きゅう》に死《し》ぬのが怖《こわ》くなって、溺《おぼ》れる彼女《かのじょ》を助《たす》けもせずその崖《がけ》から立《た》ち去《さ》った…」

「そ、それ本当《ほんとう》なの!?」

「ええ…酒《さけ》に酔《よ》ったあの男《おとこ》がペラペラ話《はな》してくれたわよ…『俺《おれ》はどうしようもない意気地《いくじ》無《な》しだ』って泣《な》きながらね…」

正木《まさき》の目《め》から涙《なみだ》がこぼれ、頬《ほお》をつたって流《なが》れ落《お》ちた。

「まぁ、そんな男《おとこ》でも…親友《しんゆう》が死《し》ぬ程愛《ほどあい》していた人《ひと》…。だから連《つ》れてってあげたのよ…彼女《かのじょ》の待《ま》つ水《みず》の中《なか》へね…」

力《ちから》なく言《い》って、正木《まさき》はうなだれた。

殺人事件《さつじんじけん》は解決《かいけつ》し、突然《とつぜん》どこかへ走《はし》り去《さ》っていった京極《きょうごく》も、無事《ぶじ》に戻《もど》ってきた。

一体《いったい》どこへ行《い》っていたのかと園子《そのこ》に聞《き》かれ、京極《きょうごく》は言葉少《ことばすく》なに、突然走《とつぜんはし》り出《だ》した理由《りゆう》を説明《せつめい》した。

「えぇっ!?　犯人《はんにん》を捜《さが》しに行《い》ってた!?　そ、そうだったの？」

事情《じじょう》を聞《き》いた園子《そのこ》は、目《め》を丸《まる》くした。

いつでもまっすぐな京極《きょうごく》は、山村警部《やまむらけいぶ》が口《くち》にした「犯人《はんにん》は腕力《わんりょく》のある男《おとこ》」という言葉《ことば》を聞《き》くなり、即《そく》、犯人《はんにん》を捜《さが》しに行《い》ってしまったのだ。

「犯人《はんにん》はかなりの兵《つわもの》のようでしたので…自分《じぶん》なら見《み》ればその殺気《さっき》でわかるかと思《おも》いまして…」

「んで、あわよくば一戦交《いっせんまじ》えたいとか思《おも》ってたんじゃねーか？」

眠《ねむ》りから覚《さ》めた小五郎《こごろう》が、ふぁ…とあくびをしながら聞《き》く。

「ま、まぁそれも多少《たしょう》は…」

あいまいに答《こた》え、京極《きょうごく》は恥《は》ずかしげに苦笑《にがわら》いした。

まっすぐすぎる京極《きょうごく》の行動力《こうどうりょく》に、蘭《らん》も園子《そのこ》も、（戦《たたか》う気《き》だったのね…）とあきれていた。

一方《いっぽう》、無事《ぶじ》に事件《じけん》を解決《かいけつ》できて、山村警部《やまむらけいぶ》はすっかり上機嫌《じょうきげん》だ。

「でもさすが眠《ねむ》りの小五郎《こごろう》!! あんなに見事《みごと》に解決《かいけつ》してくれちゃってもォ…」

褒《ほ》められて、小五郎《こごろう》は（さすが真《しん》の俺《おれ》…）とだらしなく微笑《ほほえ》んだ。

毎回《まいかい》、事件《じけん》が起《お》きるたびに麻酔銃《ますいじゅう》で眠《ねむ》らされ、起《お》きればいつの間《ま》にか事件《じけん》が解決《かいけつ》している小五郎《こごろう》だが、特《とく》にその状況《じょうきょう》に疑問《ぎもん》を抱《いだ》いてはいないらしい。小五郎《こごろう》の中《なか》では、眠《ねむ》っている間《あいだ》に真《しん》の自分《じぶん》が現《あらわ》れて事件《じけん》を解決《かいけつ》している、ということになっているようだった。

（あのヘッポコ、すっかり口調《くちょう》が戻《もど》ってやがる…）

コナンは、今《いま》までどおりの山村警部《やまむらけいぶ》の話《はな》し方《かた》を聞《き》いて、乾《かわ》いた笑《わら》いを浮《う》かべた。

なにはともあれ、事件《じけん》を無事《ぶじ》に解決《かいけつ》できてよかった——が、トリックの大部分《だいぶぶん》を説明《せつめい》したのは、コナンではなく世良《せら》だ。

（ま、いい所《ところ》はコイツに持《も》って行《い》かれちまったんだけどな…）

内心《ないしん》でつぶやいて、コナンは世良《せら》の方《ほう》をふり返《かえ》った。

ブー、ブー……。

ポケットに突《つ》っ込《こ》んだスマホが振動《しんどう》を始《はじ》めたことに気《き》づき、世良《せら》は画面《がめん》を確認《かくにん》した。

（メール…兄貴《あにき》から…）

メールを開《ひら》いてテキストに目《め》を通《とお》し、世良《せら》は肩《かた》の力《ちから》を抜《ぬ》いた。

（なーんだ…そういう事《こと》か…）

何《なに》かに納得《なっとく》して、世良《せら》はメールをスクロールした。すると、テキストの最後《さいご》に追加《ついか》のメッセージがあった。

（ん？　追伸《ついしん》…）

　追伸《ついしん》

　魔法使《まほうつか》いにはもう会《あ》えたのか？

兄《あに》からのメッセージに、世良《せら》は（まあね…）と心《こころ》の中《なか》でうなずき、コナンを見《み》つめた。

And the battle will go on...

Shogakukan Junior Bunko

★小学館ジュニア文庫★

名探偵コナン
京極真セレクション　蹴撃の事件録《バトル》

2019年 7 月 3 日　初版第 1 刷発行
2021年 5 月 3 日　　　第 3 刷発行

著者／酒井 匙
原作・イラスト／青山剛昌

発行人／野村敦司
編集人／今村愛子
編集／山口久美子

発行所／株式会社　小学館
〒101-8001　東京都千代田区一ツ橋２－３－１
電話／編集　03-3230-5105
販売　03-5281-3555

印刷・製本／中央精版印刷株式会社

デザイン／石沢将人＋ベイブリッジ・スタジオ

Printed in Japan　　ISBN 978-4-09-231294-4

★「小学館ジュニア文庫」を読んでいるみなさんへ★

この本《ほん》の背《せ》にあるクローバーのマークに気《き》がつきましたか？

オレンジ、緑《みどり》、青《あお》、赤《あか》に彩《いろど》られた四《よ》つ葉《ば》のクローバー。これは、小学館《しょうがくかん》ジュニア文庫《ぶんこ》のマークです。そして、それぞれの葉《は》の色《いろ》には、私《わたし》たちがジュニア文庫《ぶんこ》を刊行《かんこう》していく上《うえ》で、みなさんに伝《つた》えていきたいこと、私《わたし》たちの大切《たいせつ》な思《おも》いがこめられています。

オレンジは愛《あい》。家族《かぞく》、友達《ともだち》、恋人《こいびと》。みなさんの大切《たいせつ》な人《ひと》たちを思《おも》う気持《きも》ち。まるでオレンジ色《いろ》の太陽《たいよう》の日差《ひざ》しのように心《こころ》を暖《あたた》かにする、人《ひと》を愛《あい》する気持《きも》ち。

緑《みどり》はやさしさ。困《こま》っている人《ひと》や立場《たちば》の弱《よわ》い人《ひと》、小《ちい》さな動物《どうぶつ》の命《いのち》に手《て》をさしのべるやさしさ。緑《みどり》の森《もり》は、多《おお》くの木々《きぎ》や花々《はなばな》、そこに生《い》きる動物《どうぶつ》をやさしく包《つつ》み込《こ》みます。

青《あお》は想像力《そうぞうりょく》。芸術《げいじゅつ》や新《あたら》しいものを生《う》み出《だ》していく力《ちから》。立場《たちば》や考《かんが》え方《かた》、国籍《こくせき》、自分《じぶん》とは違《ちが》う人《ひと》たちの気持《きも》ちを思《おも》い、協力《きょうりょく》しあうことも想像《そうぞう》の力《ちから》です。人間《にんげん》の想像力《そうぞうりょく》は無限《むげん》の広《ひろ》がりを持《も》っています。まるで、どこまでも続《つづ》く、澄《す》みきった青《あお》い空《そら》のようです。

赤《あか》は勇気《ゆうき》。強《つよ》いものに立《た》ち向《む》かい、間違《まちが》ったことをただす気持《きも》ち。くじけそうな自分《じぶん》の弱《よわ》い気持《きも》ちに立《た》ち向《む》かうことも大《おお》きな勇気《ゆうき》です。まさにそれは、赤《あか》い炎《ほのお》のように熱《あつ》く燃《も》え上《あ》がる心《こころ》。

四《よ》つ葉《ば》のクローバーは幸《しあわ》せの象徴《しょうちょう》です。愛《あい》、やさしさ、想像力《そうぞうりょく》、勇気《ゆうき》は、みなさんが未来《みらい》を切《き》りひらき、幸《しあわ》せで豊《ゆた》かな人《じん》生《せい》を送《おく》るためにすべて必要《ひつよう》なものです。

体《からだ》を成長《せいちょう》させていくために、栄養《えいよう》のある食《た》べ物《もの》が必要《ひつよう》なように、心《こころ》を育《そだ》てていくためには読書《どくしょ》がかかせません。みなさんの心《こころ》を豊《ゆた》かにしていく本《ほん》を一冊《さつ》でも多《おお》く出《だ》したい。それが私《わたし》たちジュニア文庫編集部《ぶんこへんしゅうぶ》の願《ねが》いです。

みなさんのこれからの人生《じんせい》には、困《こま》ったこと、悲《かな》しいこと、自分《じぶん》の思《おも》うようにいかないことも待《ま》ち受《う》けているかもしれません。どうか「本《ほん》」を大切《たいせつ》な友達《ともだち》にしてください。どんな時《とき》でも「本《ほん》」はあなたの味方《みかた》です。そして困難《こんなん》に打《う》ち勝《か》つヒントをたくさん与《あた》えてくれるでしょう。みなさんが「本《ほん》」を通《つう》じ素敵《すてき》な大人《おとな》になり、幸《しあわ》せで実《みの》り多《おお》い人生《じんせい》を歩《あゆ》むことを心《こころ》より願《ねが》っています。

小学館ジュニア文庫編集部

★小学館ジュニア文庫★　ワクワク、ドキドキがいっぱいのラインナップ

〈大人気！「名探偵コナン」シリーズ〉

名探偵コナン　瞳の中の暗殺者
名探偵コナン　天国へのカウントダウン
名探偵コナン　迷宮の十字路
名探偵コナン　銀翼の奇術師
名探偵コナン　水平線上の陰謀
名探偵コナン　探偵たちの鎮魂歌
名探偵コナン　紺碧の棺
名探偵コナン　戦慄の楽譜
名探偵コナン　漆黒の追跡者
名探偵コナン　天空の難破船
名探偵コナン　沈黙の15分
名探偵コナン　11人目のストライカー
名探偵コナン　絶海の探偵
名探偵コナン　異次元の狙撃手
名探偵コナン　業火の向日葵
名探偵コナン　純黒の悪夢
名探偵コナン　から紅の恋歌
名探偵コナン　ゼロの執行人
名探偵コナン　紺青の拳
ルパン三世VS名探偵コナン　THE MOVIE

名探偵コナン　江戸川コナン失踪事件 史上最悪の二日間
名探偵コナン　コナンと海老蔵 歌舞伎十八番ミステリー
名探偵コナン　エピソード“ONE” 小さくなった名探偵
名探偵コナン　紅の修学旅行
名探偵コナン　大怪獣ゴメラVS仮面ヤイバー

名探偵コナン　ブラックインパクト！ 組織の手が届く瞬間

小説 名探偵コナン　CASE1〜4
名探偵コナン　安室透セレクション ゼロの推理劇
名探偵コナン　怪盗キッドセレクション 月下の予告状
名探偵コナン　京極真セレクション 蹴撃の事件録
名探偵コナン　赤井秀一セレクション 赤と黒の攻防

名探偵コナン　赤井一家セレクション 緋色の推理記録
名探偵コナン　世良真純セレクション 異国帰りの転校生

まじっく快斗1412　全6巻

次はどれにする？　おもしろくて楽しい新刊が、続々登場!!

〈背筋がゾクゾクするホラー&ミステリー〉

恐怖学校伝説
恐怖学校伝説　絶叫怪談
こちら魔王110番！
リアル鬼ごっこ
ニホンブンレツ(上)(下)
ブラック

〈時代をこえた面白さ!!　世界名作シリーズ〉

小公女セーラ
小公子セドリック
トム・ソーヤの冒険
フランダースの犬
オズの魔法使い
坊っちゃん
家なき子
あしながおじさん
赤毛のアン(上)(下)
ピーターパン
宝島

〈みんな大好き♡ディズニー作品〉

アナと雪の女王 ～同時収録 短編 エルサのサプライズ～
アナと雪の女王2
アナと雪の女王 ～ひきさかれた姉妹～
アラジン
ジャングル・ブック
ソウルフル・ワールド
ダンボ
ディズニーツムツムの大冒険 ～トキメキ パティシエ・パーティ～
ディズニーツムツムの大冒険 ～ハラハラ！ジェットコースター！～
ディズニーヴィランズのこわい話 アースラ 悪夢の契約書

ディセンダント　全3巻

塔の上のラプンツェル

2分の1の魔法
眠れる森の美女 ～目覚めなかったオーロラ姫～
美女と野獣 ～運命のとびら～(上)(下)
マレフィセント2 ～同時収録 マレフィセント～
ムーラン
ライオン・キング
わんわん物語

★小学館ジュニア文庫★ ワクワク、ドキドキがいっぱいのラインナップ

〈話題の映画&アニメノベライズシリーズ〉

アイドル×戦士 ミラクルちゅーんず！
劇場版ひみつ×戦士 ファントミラージュ！ ～映画になってちょーだいします～
あさひなぐ
兄に愛されすぎて困ってます
あのコの、トリコ。
一礼して、キス
糸 映画ノベライズ版

ういらぶ。
海街diary
映画くまのがっこう パティシエ・ジャッキーとおひさまのスイーツ
映画　4月の君、スピカ。

映画 10万分の1

映画刀剣乱舞
映画プリパラ み～んなのあこがれ♪ レッツゴー☆プリパリ
映画妖怪ウォッチ 空飛ぶクジラとダブル世界の大冒険だニャン！
映画妖怪ウォッチ シャドウサイド 鬼王の復活
映画妖怪ウォッチ FOREVER FRIENDS
映画 妖怪学園Y 猫はHEROになれるか
映像研には手を出すな！

怪盗ジョーカー ①～⑦

がんばれ！ ルルロロ 全2巻
境界のRINNE 全3巻
今日から俺は!!劇場版

くちびるに歌を
劇場版アイカツ！
心が叫びたがってるんだ。
坂道のアポロン
貞子vs伽椰子
真田十勇士
シンドバッド 全2巻
呪怨―ザ・ファイナル―
呪怨―終わりの始まり―
小説 イナズマイレブン アレスの天秤 全4巻
小説 イナズマイレブン オリオンの刻印 全4巻
小説 おそ松さん 6つ子とエジプトとセミ

次はどれにする？ おもしろくて楽しい新刊が、続々登場!!

スナックワールド 全3巻
世界からボクが消えたなら 映画「世界から猫が消えたなら」キャベツの物語
世界から猫が消えたなら
NASA超常ファイル ～地球外生命からの挑戦状～
二度めの夏、二度と会えない君
8年越しの花嫁 奇跡の実話

花にけだもの
花にけだもの Second Season
響―HIBIKI―
ぼくのパパは天才なのだ 「深夜！天才バカボン」ハジメちゃん日記

ポケモン・ザ・ムービーXY 破壊の繭とディアンシー
ポケモン・ザ・ムービーXY 光輪の超魔神フーパ
ポケモン・ザ・ムービーXY&Z ボルケニオンと機巧のマギアナ
劇場版ポケットモンスター キミにきめた！
劇場版ポケットモンスター みんなの物語
名探偵ピカチュウ
ミュウツーの逆襲 EVOLUTION
劇場版ポケットモンスター ココ

ポッピンQ
未成年だけどコドモじゃない
MAJOR 2nd 1 二人の二世
MAJOR 2nd 2 打倒！東斗ボーイズ
ラスト・ホールド！
レイトン ミステリー探偵社 ～カトリーのナゾトキファイル～1～4

〈この人の人生に感動！ 人物伝〉

井伊直虎 ～民を守った女城主～
西郷隆盛 敗者のために戦った英雄
杉原千畝
ルイ・ブライユ 暗闇に光を灯した十五歳の点字発明者

〈発見いっぱい！ 海外のジュニア小説〉

JCオリヴィアのプリティ・プリンセス日記
JCオリヴィアのプリティ・プリンセス日記 どきどきのロイヤルウェディング
シャドウ・チルドレン1 絶対に見つかってはいけない
シャドウ・チルドレン2 絶対にだまされてはいけない
まほう少女キティ
まほう少女キティ ひとりぼっちのシャドウ

★小学館ジュニア文庫★ワクワク、ドキドキがいっぱいのラインナップ

〈ジュニア文庫でしか読めないオリジナル〉

愛情融資店まごころ
愛情融資店まごころ2 好きなんて言えない
愛情融資店まごころ3 サヨナラ、自分勝手

アイドル誕生！～こんなわたしがAKB48に!?～
あの日、そらですきをみつけた
いじめ 14歳のMessage
1話3分 こわい家、あります。 くらやみくんのブラックリスト
1話3分 こわい家、あります。 くらやみくんのブラックリスト2

おいでよ、花まる寮！
お悩み解決！ ズバッと同盟 全2巻

緒崎さん家の妖怪事件簿 全4巻
華麗なる探偵アリス&ペンギン
華麗なる探偵アリス&ペンギン ワンダー・チェンジ！
華麗なる探偵アリス&ペンギン ミラー・ラビリンス
華麗なる探偵アリス&ペンギン サマー・トレジャー
華麗なる探偵アリス&ペンギン トラブル・ハロウィン
華麗なる探偵アリス&ペンギン ペンギン・パニック！
華麗なる探偵アリス&ペンギン ミステリアス・ナイト
華麗なる探偵アリス&ペンギン アリスvs.ホームズ！
華麗なる探偵アリス&ペンギン アラビアン・デート
華麗なる探偵アリス&ペンギン パーティ・パーティ
華麗なる探偵アリス&ペンギン ホームズ・イン・ジャパン
華麗なる探偵アリス&ペンギン ウィッチ・ハント！
華麗なる探偵アリス&ペンギン ファンシー・ファンタジー
華麗なる探偵アリス&ペンギン リトル・リドル・アリス
華麗なる探偵アリス&ペンギン ゴースト・キャッスル
華麗なる探偵アリス&ペンギン ウエルカム・ミラーランド

ギルティゲーム 全6巻
銀色☆フェアリーテイル 全3巻
きんかつ！ 全2巻
ぐらん×ぐらんぱ！ スマホジャック 全2巻
ここはエンゲキ特区！
さくら×ドロップ レシピ1：チーズハンバーグ
ちえり×ドロップ レシピ1：マカロニグラタン
みさと×ドロップ レシピ1：チェリーパイ
さよなら、かぐや姫～月とわたしの物語～
12歳の約束
女優猫あなご
白魔女リンと3悪魔 全10巻
世界の中心で、愛をさけぶ
月の王子 砂漠の少年
転校生 ポチ崎ポチ夫
天才発明家ニコ&キャット 全2巻
TOKYOオリンピック はじめて物語
謎解きはディナーのあとで 全3巻
のぞみ、出発進行!!